総合判例研究叢書

民　法 (14)

有　斐　閣

序

フランスにおいて、自由法学の名とともに判例の研究が異常な発達を遂げているのは、その民法典が百五十余年の齢を重ねたからだといわれている。それに比較すると、わが国の諸法典は、まだ若い。最も古いものでも、六、七十年の年月を経たに過ぎない。しかし、わが国の諸法典は、いずれも、近代的法制を全く知らなかつたところに輸入されたものである。そのことを思えば、この六十年の間に極めて重要な判例の変遷があつたであろうことは、容易に想像がつく。事実、わが国の諸法典は、それに関連する判例の研究でこれを補充しなければ、その正確な意味を理解し得ないようになつている。

判例が法源であるかどうかの理論については、今日なお議論の余地があろう。しかし、実際問題として、多くの条項が判例によつてその具体的な意義を明かにされているばかりでなく、判例によつて特殊の制度が創造されている例も、決して少くはない。判例研究の重要なことについては、何人も異議のないことであろう。

判例の創造した特殊の制度の内容を明かにするためにはもちろんのこと、判例によつて明かにされた条項の意義を探るためにも、判例の総合的な研究が必要である。同一の事項についてのすべての判決を探り、取り扱われる事実の微妙な差異に注意しながら、総合的・発展的に研究するのでなければ、判例の研究は、決して終局の目的を達することはできない。そしてそれには、時間をかけた克明な努力を必要とする。

幸なことには、わが国でも、十数年来、そうした研究の必要が感じられ、優れた成果も少くないようになつた。いまや、この成果を集め、足らざるを補ない、欠けたるを充たし、全分野にわたる研究を完成すべき時期に際会している。

かようにして、われわれは、全国の学者を動員し、すでに優れた研究のできているものについては、その補訂を乞い、まだ研究の尽されていないものについては、新たに適任者にお願いして、ここに「総合判例研究叢書」を編むことにした。第一回に発表したものは、各法域に亘る重要な問題のうち、研究成果の比較的早くでき上ると予想されるものである。これに洩れた事項でさらに重要なもののあることは、われわれもよく知つている。やがて、第二回、第三回と編集を継続して、完全な総合判例法の完成を期するつもりである。ここに、編集に当つての所信を述べ、協力される諸学者に深甚の謝意を表するとともに、同学の士の援助を願う次第である。

昭和三十一年五月

編集代表

小野清一郎　宮沢俊義
末川博　我妻栄
中川善之助

凡例

一　判例の重要なものについては、判旨、事実、上告論旨等を引用し、各件毎に一連番号を附した。

二　判例年月日、巻数、頁数等を示すには、おおむね左の略号を用いた。

大判大五・一一・八民録二二・二〇七七　（大審院判決録）
（大正五年十一月八日、大審院判決、大審院民事判決録二十二輯二〇七七頁）

大判大一四・四・二三刑集四・二六二　（大審院判例集）

最判昭二二・一二・一五刑集一・一・八〇　（最高裁判所判例集）
（昭和二十二年十二月十五日、最高裁判所判決、最高裁判所刑事判例集一巻一号八〇頁）

大判昭二・一二・六新聞二七九一・一五　（法律新聞）

大判昭三・九・二〇評論一八民法五七五　（法律評論）

大判昭四・五・二二裁判例三刑法五五　（大審院裁判例）

福岡高判昭二六・一二・一四刑集四・一四・二一一四　（高等裁判所判例集）

大阪高判昭二八・七・四下級民集四・七・九七一　（下級裁判所民事裁判例集）

最判昭二八・二・二〇行政例集四・二・二三一　（行政事件裁判例集）

名古屋高判昭二五・五・八特一〇・七〇　（高等裁判所刑事判決特報）

東京高判昭三〇・一〇・二四東京高時報六・二民二四九　（東京高等裁判所判決時報）

札幌高決昭二九・七・二三高裁特報一・二・七一　（高等裁判所刑事裁判特報）
前橋地決昭三〇・六・三〇労民集六・四・三八九　（労働関係民事裁判例集）

その他に、例えば次のような略語を用いた。

裁判所時報＝裁　時　　家庭裁判所月報＝家裁月報
判例時報＝判　時　　判例タイムズ＝判　タ

債務の引受

四宮和夫

目次

保証債務の相続性　西村信雄

判例索引

債務の引受

四宮和夫

はしがき

債務引受はせまい意味では「免責的債務引受」だけを指すが、ひろい意味では「併存的債務引受」をも含む。そして併存的債務引受は通常対内関係として「履行の引受」をともなうものであるから、それをも考察しなければならない。さらに「契約の引受」すなわち契約上の地位の譲渡はその内容に債務の引受を含みながら、しかも単純な債務の引受とは異る面も持っているから、それも独立に取扱わなければならない。かようにして、本稿は以上の四つの法的現象を対象とすることになる。

これらは、あるいは近代における債権債務の物化現象のあらわれとして、あるいは債権担保の目的に仕えるものとして、近時の経済界において重要な役割をいとなむものである。しかし、わが民法は、初期資本主義社会の市民法たるフランス民法にならい、これらに対してドイツ民法（四一四—四一九・三二九）やスイス債務法（一七五—一八三）のような特別の規定を設けなかった。したがって、この分野に関する判例は、きわめて重要な意味をもっているわけである。わが判例は、経済の必要に促がされ、条理にみちびかれて——具体的には外国の立法・学説や他の類似の制度を手がかりとしながら——この法の欠缺を補充して来たが、それはまだ充分なものとはいえず、いまなお発展の途上にあるものである。わたくしとしては、明文の規定がないところから、概念の説明にも力をそそぎ、また、発展途上にあるところから、できるだけ、下級審判決をも取り上げ、判例を発展的に捉えるように心がけた。

債務引受の判例研究としては、古くは林信雄教授の「債務の引受について」（民商九巻二号）があり、新しくは、椿教授の意欲的な一連の研究——「判例債務引受法その一」（大阪府立大学経済研究六号）・「債務引受法その二」（近大法学六巻二、三号）・「判例債務引受法その三」（経済研究一一号）——があって、多大の教示を受けた。ここに記して感謝の言葉に代えたいとおもう。

一　本来の債務引受（免責的債務引受）

一　免責的債務引受の観念・根拠

（一）　債務引受 Schuldübernahme の語は、適切な用語としては、債務の同一性を失わないで債務を債務者から第三者に移転させる（特定承継させる）契約、すなわち免責的債務引受（または移転的・脱退的債務引受）privative, translative od. befreiende Schuldübernahme を意味する。判例が「第三者が従来ノ債務者ヲシテ其債務関係ヨリ免脱セシメ自ラ之ニ代テ債務者トナルコトヲ……約スル契約」（大判昭八・九・二六【3】）と称するものが、これである。

（二）　免責的債務引受を認めるべきか　わが民法は、フランス民法と同じように、債権を人的な鎖（lien personnel）と観念する古い考え方に支配されたのであろうか、債務引受に関する明文の規定を欠いているが、判例はその有効なことを承認している。その効力を正面から問題とした判決の代表として、次の【1】をあげておこう。

【1】　AがXに対して負担する代金債務をYが「引受ケ支払ヲナス」契約を、Xと結んだ。XがYに対して履行を請求したところ、原審はこれを債務引受と認定してXを勝訴させた。Yは上告して、債務の引受は民法の規定しないところだから、これを認めた原判決は不当だと非難する。上告棄却。

「債務ノ引受ニ付テハ民法ニ何等ノ規定ナシト雖モ、之ヲ禁止シタル規定アルコトナク、又之ヲ無効ト為スベキ理由ナキヲ以テ、斯カル契約ハ契約自由ノ原則ニ照シテ之ヲ有効ナリト為スベク、又其契約ハ債務者ノ利益トナルモノナレバ、必ズシモ其同意ヲ経ルコトヲ要セズ、債務者ノ意思ニ反セザル限リ債権者ト引受人トノ間ニ於テ之ヲ為スコトヲ得ベキモノト解スルヲ相当トス」（大判大一〇・五・九評論一〇民四七六）。

右の判決は「契約自由の原則」を主な根拠とするものだが、下級審判決のなかには、「債権ノ移転ヲ認メタルト同一ノ論法」を援用するもの（東京控判明四五・七・六新聞八一六・二〇、評論一民三九五）や、契約の自由と並んで債権の譲渡・相続による債権債務の移転が認められることをあげるもの（東京地判大二・四・一六新聞八六五・二三、評論二民一一九）、が見られる。学者のあげる根拠も右とほぼ同様であり、ただ、そのほかに、近時における債権・債務の物化現象を指摘するのが（我妻・債権総論〔一〇〇〕三、勝本・債権法概論四四八頁、石田・債権総論二二八頁、柚木・判例債権法総論下〔六〇〕a）、目をひくにすぎない。

（三）　債務引受の法律的構成については、債務行為説（Verpflichtungstheorie）と債務移転説（Sukzessionstheorie）とが対立している。前者は、引受人は旧債務の内容と範囲によってその内容および範囲が定められるところの新しい債務を負担するのだ、と考えるものであり、後者は、これに反し、債務引受とは債務の譲渡すなわち債務が同一性を保って移転するものだ、と考えるものである。後説がドイツおよびわが国の通説だが、判例もこの見解をとっていることは、後出【6】【9】【10】等から明らかである。

（四）　他の制度との区別・関係

(1)　更改との区別・関係　（イ）　債務引受は、債務者の交替を生ずる点で、債務者の交替による更改（民五一四条）と類似するが、債務引受によって債務の同一性は失われないのに反し、更改は新たな債務を発生させる。したがって、漁業用事業の全財産を譲受けるとともに一切の債務を現状のまま引受けた事実を債務の引受と認定する際に、一判決（下級審）は、「債務ノ同一ヲ保チ単ニ債務者ヲ変更シタルモノ、換言スレバ第三者ガ債務者ニ代リテ債権関係ニ入リ其債務者ノ負担スル債務ヲ負担スルモノ」であることを理由として、「債務ノ更改ニアラズシテ所謂債務ノ引受アリシ場合ニ該当スル」と説いているわけである（東京控判大四・五・五評論四民五二五）。（ロ）　免責的引受か更改かはっきりしない場合に関し、判例は、債務引受を推定している。けだし、「債権関係ノ主体若クハ其ノ内容ノ変更ハ其ノ同一性ヲ失フコト無クシテハ之ヲ為スヲ得ズト観ジタル時代ハ格別、斯カル変更ト債権関係ノ同一性トハ決シテ扞格スルトコロ無シトノ見地ニ立テル現在ニ於テハ、当事者ノ意思ノ特ニ明白ナル場合ヲ外ニシテ夫ノ更改ノ如キハ輙ク肯定スベキ限リニアラズ」（大判昭七・一〇・二九新聞三四八三・一七）、すなわち、債権の同一性を失わずに債務の主体の変更が承認されるにいたった現在においては、債務者の変更は、債権の同一性を失わせる更改によってではなく、債務の引受によってなされるのが、合目的的であり、そして普通でもあるからである。

(2)　第三者の弁済・第三者の弁済の予約との区別・関係　（イ）　第三者の行為によって債務者をして債務を免れさせる点で、債務引受は第三者の弁済（民四七四条）と類似し、したがって、判決（下級審ではあるが）も、債権者と引受人との契約による債務引受が有効に成立するためには、旧債務者の意思に反してはならない、とする判例理論（七頁(ロ)参照）を根拠づけるために、第三者の弁済に関する規定（民四七四条Ⅱ）を類推するのである。だが、債務引受では、引受人が弁済しなくても単に債務を引受けただけで債務を免れ、かつ、引受人は債権者に対して弁済の義務を負うのに対し、第三者の弁済では、弁済あるまでは債務者は債務を免れないし、また第三者は債権者に対して弁済の義務を負うものではない。（ロ）　しかし、第三者が債権者と第三者の弁済をなす予約をした場合には、後出【20】の判決がいうように、第三者は債権者に対して弁済すべき義務を負うことになり、この点に関するかぎり上述の債務引受と第三者の弁済との差異はなくなる。ただ、第三者の弁済の予約は、それによつて債務者の債務がただちに消滅するのではない点で、やはり債務引受から区別される（第三者の弁済の予約は併存的債務引受と類似することになる。両者の異同については三〇頁（5）参照）。

(3)　併存的債務引受との区別・関係については、後述（二一頁（1））参照。

(4)　履行の引受との区別・関係も後述に譲る（六七頁（二））。

二　免責的債務引受の要件

免責的債務引受の要件に関して判例でとくに問題となるのは、当事者に関する要件である。

（一）　債務引受の当事者

(1)　当事者としては、一応、(甲)　債権者と旧債務者、(乙)　債権者と引受人、(丙)　新旧債務者、(丁)　三当事者、の四つの組合せが考えられる。だが、(甲)は第三者（引受人）にその関与なしに義務を負わせることになつて不当だから、とうてい認められない。逆に(丁)は有効なことに疑問がない。したがつて問題になるのは(乙)および(丙)である。

(2)　債権者と引受人との契約による債務引受　判例は、債権者と引受人との契約による債務引受を債務引受の常態と考えているようである。このことは、前出【1】・後出【2】【3】も示すように、判例が一般的に債務引受を論ずるときは、通常、債権者と引受人との契約による債務引受の有効なことだけを説いていることから、推察されるのである。

債権者と引受人との契約による債務引受に関する判例理論を総合すれば、次の五点に要約することができる。

(イ)　債務引受は債権者と引受人だけの契約で行うことができ、旧債務者の同意や受益の意思表示を必要としない【1】【3】【4】(なお【2】(傍論))。けだし、それは「債務者ノ利益トナルモノ」だから【1】。

(ロ)　しかし、債務引受が有効に成立するためには、旧債務者の意思に反してはならない【4】(なお【1】【2】(傍論))。それは、第三者の弁済(民四七四条Ⅱ)や債務者の交替による更改(民五一四条但)の規定を類推するからである(東京控判明四五・七・六新聞八一六・二〇、評論一民三九五)。

(ハ)　旧債務者の意思に反するか否かは、引受当時を標準として判断すべきである【4】。

(ニ)　旧債務者の意思に反したとの事実は、この事実を主張する者に立証責任がある【4】【5】。

(ホ)　債権者と引受人との契約による債務引受は、第三者(債務者)のためにする契約ではない【3】。

【2】(本判決は、直接的には契約の引受に関するものだが、参考のためにここでもとりあげる)　雑穀商AがYから大豆を買う契約をなし、履行期徒過の後買主の権利一切をXに譲渡し、かつXA間で代金債務引受契約をした(Yの承認はない)。XからYに履行を催告した後解除し、内金の返還および損害賠償を請求。Yは、債務引受は自分の関知しないところだから効力を生ぜず、したがってXはYに対して売買契約上の債務を負わないから、Xには契約の解除権もないはずだと、抗弁。原審はXの請求を排斥し、大審院もXの上告を棄却。

「売買契約ニ基ク買主ノ権利ガ第三者ニ譲渡セラレタル場合ニ於テモ、其ノ代金支払ノ債務ハ第三者ガ特ニ適法ナル債務ノ引受ヲ為サザル限リハ依然トシテ買主ニ残存スルモノニシテ、買主ノ権利ノ譲渡ニ当然随伴シテ第三者ニ移転スルモノニ非ザルナリ。而シテ債務ノ引受ハ債務者ノ意思ニ反セザル限リ債権者ト引受人トノ間ニ於テ之ヲ為スコトヲ得ベキモノナルヲ以テ、叙上ノ場合ニ於テ第三者ガ代金支払債務ノ引受ヲ為スニハ、債権者タル売主トノ間ニ之ガ契約スルコトヲ必要トスルモノナルコト論ヲ俟タザル所ナリ。然ラバ原判決ガ……債務ノ引受ヲシテ法律上有効ナラシムルニハ、独リ譲渡人タルAト譲受人タルXトノ契約ヲ以テ足レリトセズ、必ズヤ更ニ其ノ債権関係ノ相手方タルYノ同意ヲ要スル者ト為シタルハ相当ニシテ、論旨ハ理由ナシ」（大判大一四・一二・一五民集四・七一〇（判民同年一一五事件乾））。――解除権の有無に関する部分については【11】を見よ。

【3】 YがXに対して負担する債務をAが引受けることを、AX間で契約した。XはYに代金を請求し、本件契約はAX間の第三者（Y）のためにする契約だがYの受益の意思表示がないから、Yはなお債務を免れていない、と主張した事件。

「免責的債務引受契約ハ第三者ガ従来ノ債務者ヲシテ其債務関係ヨリ免脱セシメ自ラ之ニ代テ債務者トナルコトヲ債権者ト約スル契約ニシテ、当事者ノ一方（前記第三者）ガ第三者（前記従来ノ債務者）ニ対シ或給付ヲ為スベキコトヲ相手方ト約定スルモノニハ非ザルガ故ニ、之ヲ以テ民法第五三七条所定ノ第三者ノ為ニスル契約ナリト為スベカラザルハ明ナリ」（大判昭八・九・二六新聞三六一八・七、法学三・三・九〇）。

【4】 AがXに対して負担する債務をYが引受けることを、YX間で契約。Aはこれを知りながら当時なんら意思表示せず、後になってXおよびYに反対の意思を表示。そこで、YがXの請求に対し、引受契約の無効を主張するもの。

「免責的債務引受ガ有効ニ成立スルガ為ニハ、債務者ノ意思ニ反セザルコトヲ以テ足リ、債務者ノ承諾ノ意思表示ヲ必要トセズ。而シテ債務ノ引受ガ債務者ノ意思ニ反シテ為サレタルヤ否ヤハ引受当時ヲ標準トシテ之ヲ判断スベク、債務者ガ其ノ後ニ於テ反対ノ意思ヲ有シタリトスルモ一度有効ニ成立シタル引受ノ効力ヲ妨ゲザルベキハ論ヲ俟タズ。又債務ノ引受ガ債務者ノ意思ニ反シタリトノ事実ハ右事実ヲ主張スル者ニ於テ之ヲ立証スベク、其ノ証明ナキ限リ債務ノ引受ハ債務者ノ意思ニ反セザリシモノト推定スベキモノトス」（大判昭一二・六・二五判決全集四・一二・九、法学六・一〇・八四）。

【5】 Xに対するAの債務をYが引受ける旨をXY間で契約。Xが併存的債務引受を根拠としてYを訴求し

たのに対し、原審は免責的債務引受を認定した。そこで、Yは上告して、後出【18】のように主張するとともに、仮定的に、免責的債務引受だとしても、Aは引受について反対の意思を表示しているから引受は無効であり、そして、かかる主張をなす者がある場合には、債務引受があると主張する当事者の方に立証責任があるのに、原審がXの立証なきまま免責的債務引受を認定したのは違法であると主張した。

「第三者ガ債務者ノ債務ニ付免責的引受ヲ為スモ債務者ノ意思ニ反スルコトナキコト通常ナルヲ以テ、ソレガ債務者ノ意思ニ反スルコトヲ主張スル者ハ其事実ヲ立証スベキ責任アルモノト云ハザルベカラズ」（大判昭一〇・三・六新聞三八四四・九、評論二四民五二五）。

一言注意しておきたいのは、右の（ロ）の部分に関する【1】および【2】の判旨は傍論であり、【5】にいたってはじめてこの点の判例理論が明確になつたことである。――すなわち、【1】は、債務者が同意を与えてはいないが、反対の意思を表明したわけではなく、むしろその意思に反しないように推測される場合であり、したがつて、「債務者ノ意思ニ反セザル限リ」といつている部分は「傍論」にすぎない（穂積・判民大正一五年二八事件評釈）、また【2】も、（イ）の部分ばかりでなく（ロ）の部分に関する要旨は、傍論である。というのは、本判決は、債務者と引受人との契約で「契約の引受」の一環として債務引受が行われたけれども債権者の承諾を欠く場合に関して、債務引受には債権者が参加しなければならないという理論のもとに、本件の債務引受が無効であることを言おうとするものであつて、債権者・引受人間の債務引受契約について債務者の同意の有無や意思に反しないかどうかを問題とするものではないからである。これらに対し、【4】は、まさに債権者と引受人とが債務引受契約をなし、債務者がこれを知りながらなんらの意思を表示せず、後になつて反対の意思を表示した場合、換言すれば、旧債務者の同意はなかつたけれども引受当時はその意思に反しなかつたと見られる場合に関するものである。したがつて、その判旨には ratio decidendi としての価値を認めるべきであり、【1】【2】が抽象論として説いて来た理論はここにはじめて判例法として確立したということができるのである。

学者は一般に右の判例理論を是認している（(イ)(ロ)の点にふれる者は多い。(ニ)につき我妻・債権各論上〔一六二〕）。ただ、(ロ)の点に関し、次のような問題がある。すなわち債務者の意思を顧慮することに対する疑問である。民法は免除については債務者の意思を全然無視しており（民五一九条）、この免除の方法を用いることにより債務者の意思に反して免責的債務引受と同じような事態を成立させることも認められる（大判大二・七・一一評論二民四三三）以上、判例や一般の学説のように第三者の弁済や債務者の交替による更改の規定のみを類推することには、なお割切れないものが残るであろう（この点を問題とするのは、椿「債務引受法（その二）」近大法学六巻二・三号二〇三頁以下）。学説としても、債権者と引受人との関係を重視し、債務者の意思で債権者・引受人間の内部関係を動かすべきでないとの見地から、債務者の意思に反しないことを要しないとするものも見られるのである（末弘・債務法総論（新法全）五一六頁）。要するに、この問題は、民法自体に内在する矛盾のあらわれであつて、困難な問題である。

(3)　新旧両債務者の契約による債務引受

（イ）　かような債務引受は認められるか　判例のなかには、かような方法による債務引受を認めないように見えるものも、たしかに存在する。前出【1】【2】【3】などは、債務引受が債権者、引受人間の契約によつて行われるのを当然のことのように説いているからである。そして、学者も、判例がこの点について否定的態度をとるものと理解する傾向にある（たとえば林信雄「債務の引受について」民商九巻二号二二九頁、柚木〔六一〕一c）。しかし、これらの判決とても、すべて債権者・引受人間でなされた債務引受に関するものであるから、抽象論としてはともかく、価値ある判例として債務者・引受人間の債務引受を認めない趣旨のものと考えるわけにはいかない。そして他の判例は、むしろ、債権者の同意ないし承認さえあれば債務者と引受人とによる債務引受が有効に成立することを認めているのである。この点をもつとくわしく説明すれば、第一に、一般の債務引受に関しては、大審院や最高裁の判決は見当らないが、下級審判決のなかには、この形態を認めるものが少なくない。すなわち、債務者と引受人との契約だけで債権者の同意がない場合には、免責的債務引受は有効に成立しないとか債権者に対抗しえないとか説いて、消極的な面からにもせよ、債務者と引受人とによる債務引受の認められることを前提とする判決が、古くから見られるが(たとえば大阪控判明四一・一〇・五評論三商二一三、最近判三・一四〇(営業譲渡)、東京控判明四五・七・六新聞八一六・二〇、東京地判大八・五・五評論八民四三六)、それればかりでなく、積極的に、債務者と引受人との契約に債権者の同意が加わることによつて債務引受が有効に成立することを認める判決【6】、さらには、国が債務引受をした特殊な場合に関してではあるが、債権者を関与させないでもよいと明言するもの【7】さえ見られるのである(実際には、債権者の訴求によつて承認の意思は表明されていることになるが)。そして第二に、後にくわしく述べるように(六九頁以下)、契約上の地位が譲渡された場合に関しては、判例は、大体の傾向として、そこに含まれる債務の引受につき債権者の関与が必要かどうかを問いつつ、債権者の承認が後から加わりさえすれば、契約上の地位の譲渡当事者の合意によつて、債務の引受したがつてまた地位の譲渡も有効に成立するものと考えているのである(とくに【60】参照)。したがつて、判例が新旧両債務者の契約による債務引受を否定していると断定するのは、早計であり、むしろこの形態を承認する方向にあるものというべきである。

【6】 Aのセメント代金債務につきYがAとの契約で引受をなし、債権者Xが承認した。Yは、履行の引受だからXから請求を受けるいわれがない、と抗弁している。

「已ニ債務引受契約ハ我民法上所謂契約自由ノ原則ニ基キ之ヲ是認スベシト為ス以上、斯ル観念〔債権者を当事者としなければならないという観念〕ヲ当然自明ノ理トシテ予定スベキ理由ナシ。蓋シ債務ノ同一性ヲ害スルコトナクシテ債務ヲ変更スルコトガ債権者引受人間ノ意思ニ因リ可能ナリトシ又斯ル事実ガ一般見解上是認セラルル場合ナラバ、开ハ単リ債権者引受人間ノ契約ニ因リテノミ可能ナルベキ必然ノ原則ナク、等シク債務関係ノ当事者ノ意思ニ因リテモ亦其同一性ヲ害スルコトナク、移転ヲ可能ナラシメ得ルモノト謂フベク、彼是其取扱ヲ特ニ異ナラシムベキ理由ナキヲ以テナリ。唯右契約ノ結果債務者其人ニ変更ヲ来シ債権者ノ利害ニ重大ナル関係ヲ及ボスヲ以テ、債権者ノ同意ナクシテハ其ノ効力ヲ発生セシムルコトヲ得ザルノミ。之ヲ実際上ノ見地ヨリスルモ、新旧債務者ガ先ツ債務引受ノ契約ヲ為シ、後債権者ノ同意アリタル場合ト、債権者ガ当初ヨリ該契約ノ当事者トシテ之ニ関与シタル場合ト、当事者ノ利害ニハ何等ノ軒輊ナク、反テ当事者ノ意思ニ適シ又取引ノ需要ニ応ズルモノト謂フベキヲ以テ、斯ル契約ニ其効力ヲ認ムルコトハ毫モ社会見解上不当ナル点アルヲ見ズ」（東京地判大一五・一二・二六評論一六民一九三）。

【7】 国Yが鉄道用トンネルを掘つたため、付近の家屋は居住に適しなくなつた。付近の借家人等の陳情に対し、Yは家賃を代つて支払う旨声明した。それらの家屋の一つを所有するXから、収用の補償金中に家賃の含まれていないことを理由に、その支払をYに訴求した。本判決はそれを認めるもの。

「右声明ハ借家人等ヨリ家主等ニ支払フベキ賃料ヲYニ於テ之ヲ家主ニ支払フベキコトヲ約シタルモノナルヲ以テ、畢竟Yハ借家人等ノ賃料支払義務ヲ引受ケタルモノト謂フベク、Yガ借家人等ノ債務ヲ引受クルコトハ債権者タル家主等ニ何等不利益ヲ招来スルモノニ非ザルガ故ニ、右ノ如キ債権者ヲ関与セシメズシテ為サレタル債務ノ引受モ亦有効ナルモノト認ムルヲ相当トス」（東京地判昭四・一一・一八新報二〇四・二一）。

（ロ）債権者の承認の効力　旧債務者と引受人との契約による債務引受で債権者の承認はいかなる意味をもつかに関しては、判例の態度は明確でない。この点に関する諸判決の表現としては、「引受ノ効力ヲ生ズルモノト認ムルハ当ヲ得ザレバ」（東京地判大八・五・五（前出））とか、「債権者ニ対抗セントセバ」（大阪控判明四一・一〇・五（前出））とか、あるいは「売主に対して効力を有しない旨を判示し……たことは、結局正当」（最判【60】）とかいうのを見るが、いずれも抽象論としてである。

（ハ）学説も、はじめは、新旧両債務者の契約による債務引受に反対だった（石坂「債務引受論」民法研究二巻三四二頁、鳩山・債権法総論三三八頁）が、近時の通説は、ドイツ民法四一五条一項と同じように、この種の債務引受を認め、ただその契約の効力発生のためには債権者の承認（追認）を要するものとしている。すなわち、債権者の追認によって効力を生ずるとし（末弘・一四六頁、近藤＝柚木等・註釈債権総則中巻四六〇頁以下、石田・二三〇頁、柚木・〔六二〕一c）、あるいは債権者の承認を停止条件として効力を生ずるとするのである（我妻・〔一〇二〕2八、松坂・民法提要債権総論一七一頁）。かような構成は次のような理論に基くものであろう。

それは、債務引受は債権者にとっては自己の債権の処分（または処分類似の干渉）であり、債務者と引受人とだけでこれを有効に行うことはできないが、非権利者の処分行為も絶対無効ではなく、処分権者の追完（**Konvaleszenz**）を許すものであるから（ド民一八五Ⅱ参照―わが民法上は無権代理に関する一一三条を援用すべきか）、債権者の追認が加われば有効になる、という理論である（ほぼ同旨、近藤＝柚木・前掲、柚木・前掲）。すなわちドイツで支配的な処分説（**Verfügungstheorie**）（反対説としては、申込説（**Angebotstheorie**）がある）が、右の二つの学説の基礎をなしていると考えられる。わたくしは、この理論自体を否定するつもりはないが、ただ、この理論の適用にあたつては、次のことに留意する必要があるとおもう。すなわち、債務の引受が債権者の債権に対する処分として債権者の同意を要求されるのは、債権自体が「人的な鎖」であつて債務引受はこの鎖の相手を変換させるものであることによるのではなく、債務引受が債務者の責任財産の変換によつて債権者に経済上の不利益を被らせるおそれがあるからであり、かつそのかぎりにおいてであること、を忘れてはならないとおもう（我妻・〔一〇二八〕、椿・民商三四巻二号二五九頁以下（後出【60】に対する判例批評）参照）。

（二）　取締役の債務を会社が引受けるについて商法二六五条の適用があるか

取締役個人の債務をその会社が引受ける契約を、当の取締役によつて代表される会社が債権者と締結するのに、改正前の商法二六五条による監査役の承認を受けない場合、債務引受は無効となるか。この契約は会社と第三者との契約で、取締役・会社間の契約ではないから、取締役・会社間の取引を制限する右の規定の適用は受けないはずだ、とする債権者の主張に対し、次の判決（下級審）【8】は、この規定の趣旨から、会社の取引の直接の相手方が第三者である場合でも、会社の不利益において取締役個人の利益を生ずる危険のある行為は同条の禁止にふれる、としている。商法二六五条を拠点として取締役の忠実義務（現商二五四条ノ二参照）を拡大しようとするものである。

【8】　「被告は此の点について債務引受行為は債権者と引受人間の契約であつて旧債務者はこれに関与する必要がない。本件の場合も債務引受は訴外会社と被告間の取引であつて訴外Aと訴外会社間の取引でないから商法第二六五条所定の場合に該当しないと主張する。しかし商法の右法条は会社自体、株主、会社債権者等を

取締役の権限の濫用から保護する目的の規定であつて、取締役が自己の権限を濫用して、会社の不利益において自己又は第三者の利益を計るおそれのある事項については取締役は監査役の承諾を得なければ会社を代表する権限のない趣旨である。したがつて、取締役の取引行為の直接の相手方が会社でなく、第三者である場合でも結果において会社と取締役個人の利益がもたらされる危険のある場合は右の第三者を相手方とする取引も同条の禁止に触れると解するのが相当である。故に右債務引受行為は同条の禁止する場合に該当し無効である」(大阪地判昭二七・六・二八下級民集三・六・八九八)。

三　免責的債務引受の効果

(一)　債務引受の効果の本体は、債務が同一性を失わずに債務者から引受人に移転することにある(債務承継説)。この点で、旧債務の消滅と新債務の発生を生じさせる「債務者の交替による更改」と異ることは、すでに述べたとおりである。それゆえ、債務引受があつたというだけでは、債権者に対する関係で現実の弁済とはならない。したがつて、次の【9】も、利息制限法に反する債務を第三者が引受けた場合には、債権者に対する関係で現実の支払と同視されて、もはや利息を制限内に引直すことはできないものであるか、が問題となつた事件において、債務引受は現実の支払と同視しえないとしている。

【9】「債務ノ引受ケハ縦令ソレガ移転的引受ニセヨ一ノ債務ヲ他人ニ譲渡スルコトニ外ナラズ。之ヲ以テ支払即チ現実ノ支払即チ所謂合意上既ニ授受ヲ了シタルモノト同視スルコトノ当否ハ殆ンド言説ヲ俟タザルモノアリ」(大判昭九・五・四新聞三七〇一・一六)。

後出【12】は、引受人が引受に際して原債務者から借用証をとつても、(準)消費貸借は成立しない、とするものだが、これも、引受人が債務を引受けたというだけでは債権者に対する弁済とはならないことを、当然のこととして前提するものといえよう。なぜなら、もし債務引受が同時に債権者に対する弁済となるものなら、引受に際してなんらの対価も受けない引受人は原債務者に対して現実に求償権をもつことはいうまでもないから、それを目的として準消費貸借を締結することが可能となるはずであり、右の結論は成立しないからである。

（二）　移転の範囲

債務引受によつて債務が同一性を失わずに移転するといつても、債務に付帯する種々の権利義務がどの範囲移転するかは、やはり問題である。判例で問題となつたのは、保証債務と解除権である。

(1)　保証債務の場合　判例によれば、保証債務は、とくに保証人が債務引受に同意しまたは引受人のために保証人となることを承諾したことを立証した場合のほかは、免責的債務引受の成立によつて消滅するものとされる【10】。

【10】　債権者Aが旧債務者Bおよびその保証人Cに対して強制執行した（らしい）のに対し、BCが強制執行異議の訴を提起した事件において、Aは次のように主張した。すなわち、債務引受は債務の同一性を失わせるものではないから、とくに保証人に対して免責の承諾を認定しうべき場合は格別、そうでない場合には、かならずしも絶対的に保証債務が消滅すべきものとは速断しえない、と。しかし大審院はこれを否定する。

「債務ノ脱退的引受ハ旧債務者ノ負担シタル債務ヲ新債務者ニ移転セシムルモノニシテ、債務ノ同一性ヲ害スルモノニ非ザルヲ以テ、其債務ノ担保タル保証債務モ亦依然存続スルモノノ如シ。然レドモ保証人ハ債務者其ノ人ヲ信用シテ保証債務ヲ負担シタルモノニシテ、特定ノ債務者以外ノ者ノ為ニ保証債務ヲ負担スルノ意思ヲ有セザルヲ通常トスルヲ以テ、旧債務者ノ保証人ガ引受ニ同意シ又ハ新債務者即チ引受人ノ為ニ保証人トナルベキコトヲ承諾シタルコトノ立証アリタル場合ノ外ハ、保証債務ハ債務ノ脱退的引受契約ノ成立ニ因リテ消滅スルモノト解スルヲ相当トス」（大判大一一・三・一民集一・八〇（判民同年一四事件我妻））。

学説も同趣旨である（下民四一八Ⅰ・ス債一七八Ⅱも同趣旨）。けだし、債務が引受けられること、および、債務に付随する従たる債務や担保が付随することは、契約の効力によるのであるから、契約当事者でない第三者の負担する担保（保証も含めて）は当然には移転しない（林信雄「債務の引受について」民商九巻二号二三七頁）。実質的に考えても、免責的債務引受では債務者したがつてまた責任財産が変更するから、第三者の担保の移転を認めるべきではないのである（於保・債権総論三一〇頁）。

(2) 解除権の場合　前出【2】の判決は、売買契約における買主の権利が第三者に譲渡されたことは認められながら、代金支払義務の引受（債権者の承認がなかつた）は無効とされた事案に関するものであり、直接債務引受の場合を問題とするものではないが、買主の権利の譲受人に解除権のないこと（これを判示するものとしてなお大判昭三・二・二八民集七・一〇七（判民同年一一事件宮崎）がある）を判示する際に、抽象論として、債務の引受人にも解除権のないことに言及している【11】。

【11】 事実については【2】を見よ。

「解除権ハ契約ヲ解除スル権利ナルヲ以テ、契約当事者タル地位ニ在ル者ニ非ザレバ之ヲ有スルコト能ハザルハ言ヲ竢タザル所ニシテ、売買契約ニ基ク買主ノ権利ヲ譲受ケタル者ハ単ニ其ノ権利ノ譲受人タルニ止マリ売買契約ノ当事者タル地位ヲ承継スル者ニ非ザルヲ以テ、該売買契約ノ解除権ハ右権利ノ譲渡ニ当然随伴シテ譲受人ニ移転スルモノニ非ザルナリ。然ラバ、原判決ガ本件ノ如キ双務契約上ノ債権ノ譲渡ニ在リテハ、之ニ従タル解除権ハ全債権関係ト共ニノミ譲渡スルコトヲ得ルモノニシテ、契約ヨリ生ズル一方ノ債権若クハ債務ノミ譲渡スルニ過ギザル場合ニハ解除権ヲ譲渡スルコトヲ得ザルモノト解シタルハ相当」(大判大一四・一二・一五民集四・七一〇(判民同年一一五事件乾))。

本判決の債務引受に関する部分は傍論にすぎないが、学説もこれと同じ趣旨である。けだし、解除権は契約それ自体を全体的にくつがえすことのできる権利であるから、契約当事者たる地位を全体的に引受けた場合は別として、債務の特定承継人にすぎない債務引受人がこれをもつことはできない、とするのである(たとえば鳩山・三八五頁、末弘・一四八頁、石田・二三二頁)。もつとも、原債務が解除によつて消滅すべきものである場合には、引受人は解除原因の存することを指摘して、履行の拒絶をなしうるものと解すべきであろう(近藤＝柚木・四六七頁)。

㈢　引受人の原債務者に対する対価請求権ないし求償権

⑴　引受人は引受に際して原債務者からなんらかの対価を取得するのが通常であるが、それでは、引受人は債務引受と同時に、原債務者に対して、引受額相当の物を自分に給付すべきことを請求しうる権利を取得するか。次の【12】は、引受人が引受に際して原債務者から借用証を受取つたというだけでは——引受と同時に原債務者がまず引受人に対しその金額を給付すべき義務を負い、それを借用証の消費貸借の目的としたのでない以上——消費貸借は成立しない、としている。これは、すでに述べたように、債務引受は債権者に対する現実の支払ではないことを前提するとともに、学者の指摘するように(近藤＝柚木・四六九頁、林信雄「債務の引受について」民商九巻二号二四〇頁)、債務引受が原債務者の委任に基く場合でも、別段の合意がないかぎり、引受人が債権者を満足させないであらかじめ弁済資金を原債務者に対して請求することは

できない趣旨を示すものであろう。

【12】 Xは、Y_1がAに対して負担する債務を引受け、その際$Y_1$$Y_2$らを自分に対する連帯債務者とする借用証書をとつた。Xが$Y_1$$Y_2$らを訴求したが、原審は消費貸借の目的の欠乏を理由にXの請求を退けた。上告審もこれを支持する。

「消費貸借ハ借主ガ現ニ金銭其他ノ物ヲ受取ルカ若クハ金銭其他ノ物ヲ給付スル義務ヲ負フ場合ニ於テ其物ヲ以テ消費貸借ノ目的ト為スコトヲ約シタルトキニアラザレバ成立スルモノニアラズ。……然ルニXガ原審ニ於ケル主張ハ、Y……ノ参千有余円ノ債務ヲXニ於テ引受ケタルニ対シテ……借用証ヲ受取リタリト云フニ在リテ、右引受ト同時ニY_1ハXニ対シテ先ヅ参千余円ヲ給付スベキ義務ヲ負担シ之レヲ……消費貸借ノ目的ト為シタリトノ主張ニアラザルコトハ、原判決……ノ記載ニ因リ明ナリ。而シテ債務ノ引受トハ、普通第三者ガ弁済期日ニ至リ主債務者ニ代リ債務ヲ弁済スルコトヲ約スルヲ云フモノナレバ、其契約ニ因リ主債務者ハ当然引受額ニ相当スル金品ヲ引受者ニ対シテ直ニ給付スベキ債務ヲ負フモノニアラズ」(大判明三六・一〇・三民録九・一〇四六)。

しかし、債務引受が原債務者の委託に基く場合にも特別の事情のないかぎり弁済資金の前払を請求しえない、というのは、理解し難い。原債務者と引受人の原因関係は種々の態様があろうが、債務引受が好意的になされたのでないかぎり(本件のように借用証をとるのは、有償として行つた証拠といえよう)、引受人は引受の対価をなんらかの形で請求しうるものと推定すべきである。けだし、債務引受は債権者に対する関係で現実の弁済でないにしても、引受によつて原債務者は終局的に債務を免れ、他方引受人がその債務を負担することになるのであるから、引受人はそのマイナスの対価を請求しうべきはずだからである(単に弁済の委任というふうに考えても、民六四九条で受任者には費用前払請求権がある)。借用証は、そのような原債務者の引受人に対する債務を消費貸借に転換しつつ、同時に弁済期をずらせる意味をもつものではなかろうか(もし、引受人が弁済してはじめて求償権をもつに至ると解する場合には、右の借用証は、将来求償権を生じたときにそれを基準として準消費貸借を成立させる趣旨の契約証書となる。かかる契約の有効なことは判例（大判大七・二・二八民録二四・三〇〇）も認める）。もしそうだとすれば、本件では、準消費貸借の有効・無効ではなく、ただ弁済期のみが問題とされなければならなかつたのではなかろうか。

(2)　引受人が引受に際して原債務者から引受の対価を取得した場合には、引受人が引受債務を弁済したからといつて当然に原債務者に対して求償しうるとは限らず、特別の事情のないかぎり求償権を取得しない、とする判決がある【13】。

【13】　YはAに対し抵当権つきで講債務を負担していた。他方、YはXにも債務を負担していたが、Xが自分の債権の代物弁済としてYから右の抵当不動産を取得すべき旨の契約をする際に、XはYのAに対する右の債務を引受け、右の抵当権つきのまま不動産を取得すべき旨を約した。Xが不動産の明渡をYに訴求したのに対し、Yは右代物弁済の特約は暴利（Wucher）として無効だと抗弁。Xは、Xの引受けた講債務も代物弁済による不動産取得の対価に合算して民九〇条の適否を問題とすべきだと主張。原審は、Xが引受債務の支払により取得すべきYに対する求償権をあらかじめ放棄したことは、認められないから、債務引受があるからといつて、無効の妨げとはならない、と判示。X上告。

「Xが後に至り右講債務の弁済を為すも、自己の債務を履行したるに過ぎずして、特別の事情なき限り、之によりYに対し何等求償権を取得すべき筋合にあらず。然るに原審に於ては……何等特別の事由を説明することなくして、恰もXは自己の引受けたる債務の支払を為すときは、当然Yに対し求償権を取得するものとし、右債務の引受は代物弁済に依る本件不動産取得の対価の一部を為さざるものの如く即断したるは、理由不備の違法あるを免れず」（大判昭一五・一一・九法学一〇・四・八五）。

二　併存的債務引受

一　併存的債務引受の観念

（一）　債務引受の語は、ひろい意味では、免責的債務引受のほか、いわゆる併存的債務引受（重畳的・付加的・添加的あるいは確保的債務引受）（kumulative od. bestärkende Schuldübernahme, Schuldbeitritt, Schuldmitübernahme）を含む。併存的債務引受とは、「第三者ガ債務関係ニ加入シテ更ニ債務者トナリ原債務者ト相並ビテ其ノ債務ヲ負担スル行為ヲ指称スルモノ」にほかならない（大判大一五・三・二五【27】）。換言すれば、「引受人ハ従来ノ債務関係ニ加入シ従来ノ債務ト同一原因ノ而モ同一給付ヲ目的トスル債務ヲ負担スルモノ」である（大判昭一〇・一一・二七【43】）。併存的債務引受は法律の規定によって生ずる場合も少なくないが（民二五四条・二八六条・六一三条、商二六条・二八条・八二条等）、ここでは契約による場合だけを取扱う。

（二）　他の制度との区別・関係

(1)　免責的債務引受との区別・関係　（イ）　併存的債務引受は、免責的債務引受と異り「同一債務ノ移転アルモノニアラズシテ、旧債務ト相並ビテ同一ノ内容ヲ有スル新ナル一債務ヲ成立セシムルモノ」である（東京控判大元・一二・二四新聞八七〇・七、評論二商一四一）。それは原債務の承継ではなく、原債務と内容・目的を同じくする債務の負担を目的とする『債務行為』（Verpflichtungsgeschäft）である、といわねばならない。上に引いた諸判決は、むろんこの見解をとるものといってよいが、この点をややくわしく説くものとして、次の判決（下級審）【14】をあげることができる。

【14】【21】の原審判決。

「所謂重畳的債務ノ引受トハ、新債務者（所謂引受人）ガ他人ノ債務関係ニ加入シテ債務者トナリ原債務者ト相併テ之ト目的ヲ同ジクシ内容ヲ等シクスル債務ヲ負担スベキコトヲ、債権者若クハ原債務者ト約スル契約ニシテ、即チ其引受ニヨリ既存ノ債務ト同一ノ債務ガ新ニ発生シ、従来ノ債務者ノ外ニ新ナル債務者カ加ハルコト、ナリ、従テ同一ノ目的及内容ヲ有スル二個ノ債務ガ互ニ独立シテ併存スルモノトス。尤モ引受ニヨル新債務ハ既存債務ノ効力ヲ確保スルニアレバ、一方ノ給付ニヨル債権ノ満足ニヨリ必然的ニ他方ノ債務モ亦消滅スヘキコト勿論ナルモ、之ガ為メ新債務ハ既存債務ニ対シ従属的関係ニ立ツモノニアラズ」（長崎控判大一三・二・二一新聞二二三七・一七、評論一三民三七〇）。

（ロ）　債務引受が免責的か併存的かを判定する基準

(a)　債務引受が免責的か併存的かは、むろん当事者の意思解釈の問題である。債権者と引受人との契約で債務引受がなされ、その引受人の債務を目的として準消費貸借が締結された場合であつても、原債務者が債務を免れるか否か、すなわち債務引受が免責的か併存的かは、結局周囲の事情から判断される当事者の意思によつて決まるものとされる【15】。

【15】　債権者Yが債務者Aに対する強制執行で第三者Xの所有物を競売したので、YはXに不当利得返還義務を負うことになり、Xがそれを訴求したところ、Yは抗弁として、Xの被つた損失の補償を目的としてXはAから弁済を受けることとし、それをもとにしてXA間で準消費貸借を成立させたから、Yはもはや義務を免れた、と主張した。原審は、XA間に準消費貸借が成立しても、Xの損失に対する現実の塡補を得たものとはいえない、と判示し、Yの抗弁をしりぞけたので、Y上告。

「此準消費貸借成立ノ事情ニシテ若シAガ自己ニ対スル強制執行ノ為メXニ迷惑ヲ及ボシタルコトヲ遺憾トシ、Yノ利益返還債務ヲ代テ弁済スルコトトシ、即チ所謂免責的債務引受ノ意思ニ出デテ百円ヲXニ支払フベク約束シ、之ニ基キ準消費貸借ノ成立シタルモノトセバ、Xハ最早Yニ対シ利益返還請求権ヲ行使シ得ベキ筋合ニ非ザルベシ。反之、AトXトノ間ニ於ケル約束ガYノ利益返還債務迄ヲ消滅セシムル趣旨ニテ為サレタルモノニ非ザル場合ニハ、右準消費貸借成立ノ事実ハ、未ダ以テYニ対シXガ利益返還請求権ヲ行使スルノ妨トナラザルベシ。果シテソノ孰レナルカ須ラク原審ハ当事者ニ対シ釈明ヲ求メ之ヲ明ニスル必要アリ」(大判昭五・一〇・八新聞三一九八・八)。

(b)　債権者と第三者との間に履行の引受が行われた場合に関し、特別の事情がないかぎり免責的債務引受を認めるべき実験則は存しないとして、併存的債務引受と認定した判決【16】がある。かような判旨自体はあやまりとはいえないが、履行の引受が存続するかぎりは、むしろ、免責的債務引受を認めるべきではない、といわなければならない。けだし、もし免責的債務引受が認められるなら、引受人に免責義務を課する履行の引受は不必要となるはずだからである。

【16】「然レドモ原判決ノ採用シタル証拠ヲ綜合スレバ、YトAトノ間ニYガXニ対シ負担セル本件債務ノ履行ヲ引受クル契約成立シ、其ノ後Xモ右事実ヲ知ルニ至リタルニ過ギザルモノニシテ、Y主張ノ如キYヲシテ本件債務関係ヨリ脱退セシムル趣旨ノ債務引受契約成立シタルモノニ非ザルコトヲ認定シ、右Y主張事実ニ符合スル所論ノ各証拠ヲ排斥シ得ザルニ非ズ。又債務ノ履行ヲ引受クル契約成立シタルトキハ特段ナル事情存セザル限リ債務者ハ債務ヨリ脱退シタリト肯認スベキ実験則存セザルコト明ナルヲ以テ、所論ハ結局証拠ノ取捨判断及事実ノ認定ニ関スル原審ノ専権行使ヲ論難スルニ帰着シ、上告ノ理由ト為スニ足ラズ」(大判昭五・八・二三評論一九民一三二一)。

(c)　債務引受は併存的債務引受と推定すべきだとするのが判例(もつとも下級審)の態度であり【17】、学説も同じ趣旨である(末川・七七頁、近藤=柚木・四五七頁、椿「判例債務引受法その一」経済研究六号三〇七頁)。したがつてまた、免責的債務引受であることを主張する者(多くは債務者)は、それを認めさせるに足る「特別ノ事情」の存在を立証しなければならないことになる【17】。そして、判決は、かように併存的債務引受を推定する根拠として、それが債権者にとつて「利益ナル」こと【17】、したがつて、当事者の意思は「寧ロ債権ヲ確保スル意味ニ於テ新債務者ガ加入シタルモノト観察スルヲ以テ当事者ノ真意ニ合スルモノト解」されること（東京地判大一五・一一・二六新聞二六四三・一四）、および、併存的債務引受が「従来ノ債務者ノ意思如何ニ拘ラズ有効ナ」のに反し、免責的債務引受は「其ノ意思ニ反セザル場合ニ限リテノミ有効ナ」こと【17】を、あげている（かように債務者の意思の顧慮に差異のあることについても問題があるが、この点に関しては三六頁(ロ)参照）。この第二の根拠は、債権者と引受人との契約による場合にのみ妥当するもので、債務者と引受人との契約による場合には、これに対応するものとして、次に述べるように、債権者の意思の役割が問題となる。

【17】「債権者ニトリテハ所謂重畳的債務引受ガ所謂免責的債務引受ヨリ利益ナルノミナラズ、前者ハ従来ノ債務者ノ意思如何ニ拘ラズ有効ナルモ、後者ハ其ノ意思ニ反セザル場合ニ限リテノミ有効ナルモノナレバ、債務引受ノ契約アリタル場合ニ於テハ、何等カ特別ノ事情ノ存セザル限リ、当事者ノ意思ハ重畳的債務引受契約ナリト解スルヲ妥当トスルトコロ、本件ノ場合ニ於テハ控訴人ニ於テ右ノ如キ特別ノ事情存在スルコトニ付テハ何等ノ主張立証ヲ為サザルヲ以テ、控訴人ノ上記債務ノ引受ハ所謂重畳的債務引受ナリト認ムルヲ相当トス」（東京控判昭一五・七・二三評論二九民六二一）（結果同趣旨、東京地判大一五・一一・二六新聞二六四三・一四、東京地判大一五・一一・二六評論一六民一九三）。

(d)　債務者・引受人間の契約による場合に関するものとしては、営業譲渡の場合に、譲渡人の負担していた債務について譲受人が併存的債務引受をなすべき商慣習がある、とする後出【38】（東京控判）が、注目される。営業譲渡の場合には、原債務者は実質的にはもはや債務の履行について利害関係を有しないわけであり、その点からは、むしろ免責的債務引受が認められてよいわけであるのに、【38】が、債務引受の慣習があるという鑑定を併存的債務引受の慣習と解したのは、免責的債務引受のような、債権者にとって債務者の責任の変換を意味する行為は、債権者に対する関係においてはその意に反してこれを行うことができないとの前提に立ちつつ、営業譲渡の場合には債務引受の効果は譲受人の営業開始によって効力を生ずることを必要とし、債権者の承諾を経ないのを通常とするから、免責的債務引受とすることについて債権者の承諾のある場合のほかは、併存的債務引受を認めることが合理的だと考えたわけである。つまり、この判決は併存的債務引受の場合には債権者の意思を問題にしなくてもよいと考えているように見える。しかし、一般の判例は、二つの債務引受が債権者に対してもつ意味の異るわりには債権者の関与の仕方について顕著な差異を要求してはいないのであって（併存的引受の場合にも債権者の受益の意思表示が要求される）、右の【38】の考えを判例の考えとみることはまだむりである。それにしても、併存的債務引受の方が債権者に有利であることは疑いのない事実であり、そして、この事実を反映して、一般の判例によれば、免責的債務引受の場合には債権者の承認が必要とされるのに対し、併存的債務引受の場合には債権者の意思は単に第三者のためにする契約における受益の意思表示として顧慮されるにすぎないのだから（もっとも、実質的には異らないことについて(二)参照）、免責的債務引受を認定するには、併存的債務引受を認める場合に比しそれだけ特別の事情の存在することを必要とすることになるはずである。したがって、債務者・引受人間の契約による場合でも、引受人・債権者間の契約による場合同様、併存的債務引受を推定してよいことになろう。【38】の判決は、併存的債務引受の場合に債権者の意思を問題にしなくてもよいとする（ように見える）点では、判例法として認め難いが、免責的債務引受よりも併存的債務引受の方が容易に認定しうることを債務者・引受人間の契約による場合に関して明らかにしたものとしては、判例の傾向と相反するものではないのである。

（八）　免責的債務引受と併存的債務引受とは、原債務者が債務関係から脱退するか否かという差異があるにもかかわらず、両者に同一性ないし類似性の存することも、見逃してはならない。ことに、それは、免責的債務引受が併存的債務引受に転換されうるか否かの問題にとつて少なからぬ意味をもつ（この点については（二）参照）。この点に関し、次の大審院判決【18】が、両者とも引受人が従来の債務者の負担したと同じ債務を負担する点で同一であることを理由として、当事者がどちらか一つを主張した場合に他方を認定しても、当事者の主張しない事実を認定したとはいえないとしているのが、一応注目をひく。

【18】　引受人Yに対して債権者Xが併存的債務引受を根拠として訴求したのに、原審は免責的債務引受を認定した。Y上告して、当事者の申立てない事項について裁判したのは違法だと主張した。【5】と同一判決。
「債務引受人ガ債権者ニ対シ従来ノ債務者ノ負担セルト同一ノ債務ヲ負担スルニ至ル点ニ於テ両者ノ間何等ノ差異アルモノニ非ズ。従テ両者ノ中何レ一ノ主張アル場合他ヲ認定スルモ、之ヲ以テ当事者ノ主張セザル事実ヲ認定シタルモノト為スコトヲ得ザルモノトス」（大判昭一〇・三・六新聞三八四四・九、評論二四民五二五）。

もつとも、本判決をもつて、両債務引受の転換可能性を認めたものと解することはできない。けだし、本件では引受人だけが訴求されていて、どつちみち引受人に責任があるところからかように判定したものとも考えられるし（椿「債務引受法その二」（前出）三〇八頁註8）、上告理由との対応から考えても、事実に対する裁判所の法律構成は当事者の法律上の主張に拘束されないという趣旨を判示するにすぎぬものと解されるからである。それにしても、両債務引受の同一点を指摘したことは、両債務引受の転換可能性を認める上に無意味ではないであろう。

（二）　免責的債務引受から併存的債務引受への転換　債務者と引受人との契約によつて免責的債務引受が意図されたが、債権者の承認を欠くために免責的債務引受としての効力を生じない場合に、これを併存的債務引受に転換して認定することが可能であるか、という問題である。後出【38】（東京控判）は、営業譲渡の目的物中に譲渡人の債務も含まれるとしつつ、債権者の同意がなくても、債権者の利益を害しない範囲で効力を生ずるものと解すべきことを理由として、併存的債務引受を認めるべき旨を、傍論ながら説いているが、これは免責的債務引受から併存的債務引受への転換の可能なことを認めたものとして注目に値する。この転換はいわゆる無効行為の転換の一つの場合として理解することができるが、両債務引受が理論構成を異にするだけに、これを認めるには理論的障害がないわけではない。第一に、免責的債務引受は他人（債務者）の債権に対する処分ないし処分類似の干渉だとされるのに対し、併存的引受は第三者のためにする契約だとされる点が、問題となる。しかし、両者とも、当事者間の契約の効果を第三者に帰属させようとするものである点において、まつたく同一である。第二に、免責的債務引受は債務移転行為であり併存的債務引受は債務負担行為であるという法律的性質の差異があるが、前出【18】も述べているように、両債務引受とも引受人が従来の債務者と同じ債務を負担するものであるから、右の差異も実質的差異ではない。したがつて、【38】の上の判旨は理論的にも支持しうるものとおもわれる。――なお、上の理論を契約の引受の場合にも及ぼして、併存的契約の引受（**Vertragsbeitritt**）（ドイツの学者はこれを認める。Enneccerus-Lehmann, Schuldrecht, § 87 II）をわが国でも認めるべきか否かが問題となる（椿教授の後出【60】に対する判例批評、民商三四巻二号二五九頁以下は認めようとする）。判例にとって将来の課題となることであろう。

(2)　保証債務との区別・関係　後出【27】が「併存的債務引受ハ実質的ニ債権ノ効力ヲ確保スル作用ヲ有スルモノニシテ、其ノ債権ノ効力ヲ確保スル作用ヲ有スルコトハ保証債務ト毫モ異ナルモノニ非ズ」と述べているように、併存的債務引受は、債権担保の目的に仕え、機能的には保証ことに連帯保証ときわめて類似している。したがって、たとえば、債権者・引受人間の契約による債務引受が債務者の意思に反しても有効とされる根拠につき、【27】も、保証に関する民法四六二条二項を類推しているのである。しかし、併存的債務引受は、まず、引受人の債務は本来的債務に付従するのでないという効果の点において保証と異り（六〇頁(ロ)）、また、保証契約は債権者・保証人間の契約によるほかないのに対し、併存的債務引受では債務者・引受人間の契約による場合も認められる（三八頁(イ)）という成立の点においても、異るのである。もっとも、成立の点における差異は実際上はそれほど大きなものではない。というのは、保証契約の締結は、保証人と債権者とが直接折衝しないで、債務者が保証人の代理人として保証契約書を債権者に差入れるという方法によって行われることが多く（大判昭九・二・七裁判例八・一一は、保証人が保証契約書に捺印し債務者を介してこれを債権者に交付するときは、通常かような代理権授与があると認められる、としている）、他方、併存的債務引受が原債務者と引受人との契約で締結されうるといっても、その効力の発生は債権者の受益の意思表示にかかっているのであるから、結局は、併存的債務引受の方が当事者の要件に関し、観念上ゆるやかであるというにすぎないことになるのである（椿「判例債務引受法その一」（前出）三一二頁）。

ある契約が保証と併存的債務引受のどちらに属するかは、「徒ニ用語ノ末ニ拘ルコトナク、当事者ノ意欲シタル法律上ノ効果ヲ究明シ之ガ判定ヲ為スベキ」である（大判昭九・四・七裁判例八・一三四、法学三・一一・八四）。したがつて、「引受」という言葉を使つてあつても保証契約でないとはいえないし（同判決）、書証に「保証」と書いてあつても、「債務を引受け支払う」という言葉もある以上、債務引受を認定しえないわけではない、とされるのである（最判昭二三・四・二〇判例総覧（民事）一・九六）。

(3)　履行の引受との区別・関係　履行の引受は、経済的には併存的債務引受と類似するが、法律的には、債務者と引受人との関係にとどまるところの、いわば「対内的債務引受」であり（この点については後述六五頁以下参照）、債権者に直接引受人に対する債権を取得させるところの併存的債務引受から区別されなければならない。両者の区別や関係についての詳細は後述に譲り（六四頁（一））、ここでは、「履行引受と併存的債務引受との結合形態が多いことを、注意しておこう。

(4)　更改との区別　更改は旧債務が全然消滅してしまう点で、従来の債務が存続する併存的債務引受と異る。しかも、この差異は、旧債務に担保が付着していた場合や新債務者の資力が充分でない場合には、債権者にとつてきわめて重要な意味をもつ。「確実ナル対照担保ヲ抛棄シテ無担保ニテ債務ノ更改ヲナスハ普通ノ状態ニ反スル」から、併存的債務引受か更改か疑わしいときは、前者を認定すべきである、とする古い下級審判決【19】がある。

【19】　Aの懇請で、Yは、Aの債権者＝抵当権者Xと、債務引受証と題してAの債務を「引受ケ代弁」する契約をした。諸般の「事実並ニ確実ナル対照担保ヲ抛棄シテ無担保ニテ債務ノ更改ヲナスハ普通ノ状態ニ反スル事由等ヲ綜合参酌シテ之ヲ考覈スルニ、甲第一号証ハ債務者ノ交替ニヨル更改契約ニアラズシテ、単ニ債務

ノ引受契約ナリト解スルガ、蓋シ証書成立当時ニ於ケル当事者双互ノ意思ニ適合シタル者ナリト認ム。……又タXハ仮リニ更改契約ニアラズトスルモ、被告ハ債務ノ弁済ヲ引受ケ居ル以上ハ本訴ノ請求ヲ拒ムノ理由ナシト云フモ、更改契約ト否トハ代位ノ成否ニ付被告ノ利害ニ於テ重大ナル関係ヲ来ラスニヨリ不当ノ原因ニ基ク請求ニハ応ズル義務ナキモノトス」（大分地豆田（日田の誤か）支判明四一・四・一七新聞四九八・七）。

なお、右の判決が、併存的債務引受を認定すべきときに、債権者が新債務者に対し更改を理由として請求した場合、更改契約であるかどうかは代位の成否について被告の利益に重大な関係があるから、新債務者はその請求に応ずる義務がない、とする点（併存的債務引受だと、弁済した引受人は原債務者に対する求償権を取得するかぎり債権者に代位して、原債務者に対する債権を行使しうるが、更改だと原債務は消滅していて代位するによしない）は、近時の訴訟理論によれば、裁判所は当事者の法律上の主張に拘束されることなく、併存的債務引受の認められるべき場合でも、更改を理由とする当事者の請求を容認することができるであろう（【18】参照）。

(5)　第三者の弁済の予約との区別　すでにふれたように、第三者の弁済の予約は、債務者を依然債務者の地位にとどめておきながら、予約した第三者をして債権者に対し弁済すべき義務を負わせるものであり【20】、したがつて、それは機能的には併存的債務引受となんら異るところがない。異るのは、前者では予約者は他人の債務を弁済するのに対し、後者では引受人は自己の債務として弁済するという観念的なものにすぎない（しかも、前者における他人の債務の弁済は同時に自己の債務の履行でもある）。しかるに、この観念的な差異すなわち法律構成の差異に基いて、それぞれの成立につき、併存的債務引受では債務者の意思に反することも可能とされる（三六頁（ロ））のに対して、第三者の弁済の予約では、【20】も述べているように、債務者の反対がないかぎり有効とされる、という差異が生じている。債務者に利益を与える場合の民法の態度に矛盾があること（右の場合は四六二条Ⅱと四七四条Ⅱとの対立）の反映にほかならない。

【20】　AがXに対して負担する示談金をYが支払うことを約したために、XがAに対する告訴を取下げたところ、Yは債務引受契約には三当事者の合意を要するのにAの承諾がないから無効だ、と主張した事案。

「当事者以外ノ第三者ガ債務者ニ代リテ弁済ヲ為スコトハ、債務者ニ於テ反対ノ意思ヲ表示セザル限リ法律ニ認許スル所ニシテ、第三者ガ債権者ニ対シ債務者ニ代リテ弁済ヲ為スベキコトヲ予約シタル場合ニ於テモ亦、同一ノ精神ニ基キ、債務者ノ反対ナキ限リハ其契約ヲ有効トスルコトヲ要シ、之ヲ為スニ付キ特ニ債務者ノ承諾ヲ必要トスルコトナシ。故ニ債務者ニ於テ反対ノ意思ヲ表示セザル第三者弁済ノ予約ハ債権者ト第三者トノ間ニ於テ有効ニ成立シタル独立ノ契約ニシテ、第三者ハ此契約ニ因リ絶対ニ羈束セラレ、債権者ノ請求ニ対シ契約ノ目的タル弁済ヲ為スノ義務アルノミナラズ、此義務ハ弁済ノ予約ニ因リテ当然生ズルモノニシテ、売買ノ予約ノ如ク更ニ当事者ノ一方ヨリ契約ヲ完結スル意思ノ表示ヲ為スノ必要ナシ。何トナレバ、弁済ノ予約ニ在リテハ其予約ノ当時既ニ契約ノ目的タル弁済ニ付キ当事者双方間ニ意思ノ合致アリ、売買ノ予約ノ如ク当事者一方ノミニ其売買ノ意思アリテ相手方ハ未ダ其意思ヲ決定セザル場合ト全然其性質ヲ異ニスルモノナレバナリ」（大判明四五・二・七民録一八・七〇）。

二　併存的債務引受の要件

（一）　併存的債務引受が有効に成立するためには、原債務が有効に存立することを必要とするから、原債務がはじめから無効であるかまたは引受当時すでに消滅している場合には、併存的債務引受は無効である。この点に関し、次の【21】は、相続した債務について併存的債務引受のなされた後原債務者が限定承認した場合に関し、限定承認の効力は相続開始当時に遡るけれども、引受人は存在しない債務について引受をしたことにはならない、としている。限定承認によって債務自体が消滅するわけではないから、当然のことである。

【21】 事案を簡単にすれば、Xに対する債務者Aが死亡しBが相続し、Xが仮差押したところ、親族のYが併存的債務引受をした。XがYを訴求。Yは、Bは限定承認したところ、相続財産欠乏し債務を弁済する必要がなくなつたから、Yの引受も無効となつた、と争つた。原審は、【14】のように判示した上、限定承認は前になされた債務引受に影響しないといつて、Yを敗訴させた。Y上告して、Cの債務が相続財産を限度として弁済すべき責任のある債務であり、しかもそれは遡及効により相続開始の時からそうなるから、既存債務と同一性質を有する引受債務も相続財産の限度外に弁済の責任はない、と主張した。

「BガAノ家督相続ニ因リ承継シタル本件ノ債務ニ付Yカ債権者タルXニ対シ重畳的引受ヲ為シタル後、Bガ其ノ相続ニ付限定承認ヲ為スモBハ之ニ因リテ自己ノ債務ノ全部又ハ一部ヲ免ルルコトヲ得ルモノニ非ズシテ、只其ノ責任ノ範囲ガ相続財産ノ存スル限度ニ制限セラルルニ過ギザレバ、右限定承認ノ効力ガ相続開始当時ニ遡リタリトテ、Yハ存在セザル債務ニ付引受ヲ為シタルモノト謂ヒ難ク、又Bノ相続ニ因リ承継シタル債務トYノ引受ニ因ル債務トハ併立シテ存在スルモノニシテ両人ノ負担スル責任ノ範囲ハ同一ナルコトヲ要スルモノニ非ザレバ、Bノ責任ニ関スル叙上ノ制限ハ当然Yノ責任ニ影響ヲ及ボスベキモノニ非ズ」（大判大一三・五・一九民集三・二一五（判民同年四四事件穂積））。

（二） 引受人の債務の範囲・態様は原債務のそれと同じでなければならないか。

(1) 原債務の範囲を越える債務を引受けても、範囲を越える部分は実質上併存的債務引受でない（例えば贈与となる）といわねばならない。しかし、これに反して、当事者の特約によつて、原債務の一部について併存的債務引受をすることはさしつかえない。次の判決【22】は一部の併存的債務引受（Teilmit-

übernahme）を当然に有効なものと前提している。

【22】Aの債務をBが百円の限度で引受け、同額の借用証書を債権者Cに差入れた場合には、併存的債務引受が成立するのか（原審の認定）、それとも債務者の交替による更改となるのか（上告理由）。要するに、Aが免責されるのか否かが問題となった配当異議事件。

「原判決ノ認定シタル事実ハ訴外BハAガ被上告人Cニ対シテ有スル債務ヲ金百円ノ限度ニ於テ附加的ニ引受ケタリト云フニ在リ。而シテ附加的債務引受ナルモノハ第三者ガ債務関係ニ加入シテ更ニ債務者トナリ原債務者ト共ニ同一ノ債務ヲ負担スルヲ云フモノニシテ、単純ナル債務引受ノ如ク従来ノ債務者ガ其地位ヨリ脱退シテ引受人之ニ代ルモノニ非ズ。若シ夫レ引受人ニ於テ其債務ヲ弁済シタルトキハ原債務者ハ之ニ依リテ当然債務ノ免脱ヲ受クルハ言ヲ竢タザル所ナレドモ、原判決ノ認ムル所ニ依レバ、引受人Bハ未ダ其債務ヲ履行セザルモノナルヲ以テ、債務者ノ債務ガ尚依然トシテ存在スルモノト認ムベキハ当然ナリ」（大判大八・六・二五民録二五・一一三九）。

(2)　引受人の債務の態様は原債務の態様と同一でなければならないか。

次の【23】（下級審）は、すでに弁済期の到来した債務について引受人が将来の期日を弁済期とする債務を負担した場合に関し、各債務が客観的に同じ内容でありさえすれば、履行期の異ることはさしつかえないとしている。

【23】AはXに手形債務を負担しながら支払わないので約旨により準消費貸借に切り替えた。ついでYが連帯債務者となつて、某日までに支払わないと損害金を支払うべき旨をXと約した。

「重畳的債務引受契約ハ之ニヨリテ新旧債務者間ニ連帯債務ヲ成立セシムルモノナレバ、新旧両債務ハ同一給付ヲ内容トスルコトヲ要スルコト勿論ナルトコロ、本件債務引受契約ハ従来ノ債務ノ弁済期到来後ニ於テ為サレタルモノニシテ、従来ノ債務トハ其ノ弁済期日ヲ異ニシ、全然同一態様ノ給付ヲ内容トセルモノトハ謂ヒ難キモ、凡ソ連帯債務ニ於ケル各債務ハ客観的ニ同一内容ナルヲ以テ足リ、敢テ必ズシモ各債務者ノ有スル給付義務ガ全然同一態様ヲ有スルコトヲ要スルモノニ非ズト解スベク、而シテ本件ニ於ケル新旧両債務ハ其ノ弁済期ヲ異ニスルノミニテ、其ノ他ノ点ニ於テ何等ノ差異存セザルヲ以テ、客観的ニ之ヲ考察セバ、同一ノ給付ヲ内容トセルモノト認ムルヲ相当トスルガ故ニ、右ノ弁済期ヲ異ニスル事実ハ、前記XY間ノ契約ヲ以テ重畳的債務引受ト断定スルニ付キ妨ゲトナルモノニアラズ」（東京地判昭八・一〇・三〇新聞三六二七・五）。

併存的債務引受は原債務に依拠して成立するものであるから、原則としてその態様は原債務によつて規定されることになるが、併存的債務引受は新たな債務を負担する『債務行為』であり、しかも引受人の債務は保証債務のように原債務に付従するものではないから、かならずしも原債務と態様を同じくする必要はないのである。したがつて、引受人の債務が履行期や履行の場所に関して原債務より重いこともさしつかえないわけだが（末川「併存的債務引受」民法に於ける特殊問題の研究第二巻九九、一〇〇頁、近藤＝柚木・四七七頁）、右の【23】の判決をもつて、引受人の債務が履行期に関して原債務より重くてよいとする事例としてあげるのは（近藤＝柚木・前掲）、不正確である。【23】は、引受人の債務の履行期が原債務の履行期よりも遅い場合であつて、軽い態様の場合だといわなければならないからである。

次の【24】は、債務の態容に関するものか否か、かならずしも明確でないが、参考のために掲げる。

【24】「所謂重畳的債務引受ノ場合ニ在ツテモ、引受人ノ弁済方法ハ常ニ必ズシモ原債務者ノ弁済方法（ト）同一ナラザルベカラザル理由ナシ」（大判昭六・一二・二一法学一・五・九一）。

(三)　併存的債務引受は引受人自身の利益がその行為の基礎となつている場合に認められるからといつて、つねにそうでなければならないわけではない。次の【25】は、傍論ながら、なんら経済上の利益を受けることなく、好意上債務の引受をなす場合のあることを、認めている（この判決が、併存的債務引受に関するものか、免責的債務引受に関するものか、かならずしも明らかでないが、具体的事情からは併存的債務引受のようにおもわれる）。

【25】　Yが土地を買受けるのにその資金一五〇〇円をBから借りることにしたが、Bは八〇〇円不足のためXから借りることになつた。その際、交換条件として、YはAのXに対する債務を引受けることにし、これを準消費貸借に改めて、八〇〇円の借用証書をXに差入れた。XがYを訴求。X勝訴。Yは上のような原審の認定を攻撃して、土地を買つた際の五〇〇円以下の手附を生かすために八〇〇円の債務を引受けるのは道理に反しており、原審が債務引受を認めるにはなんらか首肯に値する理由を必要とすると主張した。

「何等経済上ノ利益ヲ受クルコトナク好意上他人ノ為ニ保証ヲ為シ債務ノ引受ヲ為スモノ比々トシテ存スル実例ニ徴スレバ、保証又ハ債務ノ引受ニ付テハ常ニ必ズ相当ノ対価ヲ伴ヒ相当ノ利益ヲ受クルニアラザレバ斯ル行為ヲ為スモノナシト断定スルコト得ザルノミナラズ、原判決ノ確定スル所ニ依レバ、YガAノ債務ヲ引受ケザランカ、XハYニ対シ土地買受代金ノ貸与ヲ肯ンゼザリシコトハ明白ナレバ、Yハ其結果土地売買契約不履行ニ因ル損害賠償ノ責任ヲ負担セザルベカラザルニ至ルコト必然ニシテ、右債務引受ニヨリYハ土地買受代金ヲ調達スルコトヲ得契約ヲ履行スルコトヲ得タルモノナレバ、Yハ経済上ノ利益ヲ受ケザリシモノト謂ヒ難ク、又Yノ得ル所ハ其喪フ所ニ比シ少ナリトスルモ、原審ノ認定ハ必ズシモ経済上ノ常則ヲ無視シタルモノト為スベキニ非」ず（大判昭一一・六・二六新聞四〇一三・九）。

（四）　当事者

(1)　併存的債務引受の要件でもつとも問題となるのは、免責的債務引受の場合と同じく、契約の当事者である。この場合にも、当事者について考えられる組合せは、(甲)　債権者と原債務者、(乙)　債権者と引受人、(丙)　原債務者と引受人、(丁)　三当事者、の四つであり、そして、(甲)は他人に義務を課するから許されず、(丁)は問題なく認められることも、免責的債務引受の場合と同様である。したがつて問題となるのは(乙)と(丙)である。

(2)　債権者と引受人との契約による併存的債務引受　(イ)　併存的債務引受が債権者と引受人の契約によつてなされうることは、判例法として確立しており、問題はない(判例としては次の【26】のなか(ロ)所掲の判決)。けだし、併存的債務引受は、引受人が債権者に対して新しい債務を負担することだから、この両者の合意だけで成立し、原債務者の関与を要しないことは、明らかだからである。

【26】　A合資会社の代表者YがAの債務を債権者Xとの契約で併存的に引受けた。Xの訴求を原審が認めたのに対してY上告していわく、併存的債務引受には少なくとも債務者と引受人との契約がなければならない、しかるにYは一方ではA会社の代表者として他方では個人として引受契約をしたことになり、民法一〇八条に反するから、引受契約は成立しない、と。

「原審ハ合資会社Aノ債権者タルXトY個人トノ間ニ於テYハ右会社ノ債務ヲ引受クベキ旨ノ契約ヲ締結シタル事実ヲ判示シタルニ止マリ、此ノ契約ガX及Y個人並右会社ヲ代表セルYノ三者間ニ成シタル事実ヲ判示シタルモノニ非ザルコトハ判文上明白ナルノミナラズ、本来重畳的債務引受ハ債権者ト引受人トノ契約ニ因リテ其ノ効力ヲ生ジ、必ズシモ原債務者ガ其ノ契約ノ当事者タルコトヲ要スルモノニ非ズ」(大判昭一二・三・一八判決全集四・六・六)。

(ロ)　しかも、判例は、免責的債務引受の場合と異り、原債務者の意思に反しても、その効力を生ずるものとしている【27】(なお同旨、大判昭二・一二・二四評論一七民四一三、大判昭三・五・二評論一七民八一八、大判昭七・四・一二新聞三四〇〇・一一、評論二一民三八〇、大判昭一〇・五・一四法学五・一・九三)。けだし、保証に関する民法四六二条二項の規定の精神を推及しようというわけである。

【27】　XがAあて商品を運送したところ、引渡地の運送人Yが貨物引換証と引換でなくそれをAに引渡し

た。XがYをせめたので、Yは、Aが代金の支払をしないときは、自分が支払おう、と約束した。XがYを訴求。原審は、併存的債務引受が成立したとしても、それはAの意思に反するから無効だ、としてXを敗訴させたので、Xがそれを争って上告した。

「所謂併存的若ハ重畳的債務引受トハ、第三者ガ債務関係ニ加入シテ更ニ債務者トナリ、原債務者ト相並ビテ其ノ債務ヲ負担スル行為ヲ指称スルモノニ外ナラズ。従テ併存的債務引受ハ実質的ニ債権ノ効力ヲ確保スル作用ヲ有スルモノニシテ、叙上債務ノ効力ヲ確保スル作用ヲ有スルコトハ保証債務ト毫モ異ルコトナシ。然リ而シテ保証ハ債務者ノ意思ニ反スルトキト雖為シ得ベキコトハ民法第四六二条第二項ノ規定ニヨリ明瞭ナルヲ以テ、此ノ法律ノ精神ヨリ推シテ第三者ハ原債務者ノ意思ニ反スルトキト雖モ有効ニ併存的債務引受行為ヲ為シ得ベキモノト解スルヲ相当トス」（大判大一五・三・二五民集五・二一九（判民同年二八事件穂積））。

もっとも、古い判決ではあるが、前出【20】は、第三者の弁済の予約につき、「債務者ノ反対ナキ限リハ」とくに債務者の承諾を必要としない旨判示しているが、この第三者の弁済の予約は、すでに述べたように（三〇頁(5)）、実質的には併存的債務引受と異らないものである。そして、下級審判決のなかには、併存的債務引受自体についても、債務者の意思に反しないことを要求するものがある（東京地判大二・四・一六新聞八六五・二三、評論二民一二九）。これらは、第三者の弁済に関する民法四七四条二項ないし債務者交替による更改に関する五一四条但書の精神を根拠とするものだが、第三者の弁済によっては債務者は債務を免れるのに、併存的債務引受によっては原債務者は債務を免れず、原債務者と引受人とが並んで債務を負担するのであるから、これには、第三者の弁済に関する規定（民四七四条）よりもむしろ保証に関する規定（民四六二条Ⅱ）を類推すべきであり、したがって、上述の確立された判例法の方が民法に忠実な解釈ということになろう。

学説としては、保証に関する民法四六二条二項は四七四条二項の特則だから、当事者がとくに保証の方法によらずに債務引受を認めた場合には、むしろ特則の利益を享受しないものと解すべきだ、として、債務者の意思に反しないことを要求する者もないではないが（勝本・債権法概論四四九頁註）、通説は正統的判例理論を支持しているのである（穂積・判民大正一五年二八事件評釈、末弘・一四四頁註一、我妻・〔一〇二〕イ）。もつとも、免責的債務引受では債権者と引受人による契約の場合に原債務者の意思を無視しえないのに、併存的債務引受なら原債務者の意思を無視しうるのは、不合理のように見える（ことに、椿「債務引受法その二」（前出）二〇八頁が、指摘するように、原債務者が利益を受ける免責的引受の方が債務者の意思を無視できないのはおかしいともいえる）が、その根源は、すでに述べた民法自身の内部的矛盾（一〇頁三〇頁（5））に存するのである（なお、第三者の弁済の予約についても、実質からいえば——原債務者は債務を免れるわけでないから——保証の規定によるべきだが、法律構成の点からは第三者の弁済の規定によらなければならないという矛盾を生ずる）。

(3)　原債務者と引受人との契約による併存的債務引受

（イ）　原債務者・引受人による併存的債務引受の方法　原債務者・引受人間で後者が前者の債務を支払うべき旨を契約しただけでは、その効力は契約当事者の内部に及ぶにすぎず、したがつて「履行の引受」が成立するだけで（後出【55】【56】参照）、債権者は引受人に対する債権を取得するわけではない。しかし、併存的債務引受があつても、債権者は従来の債務者に対する債権を失つてしまうわけではないから、債務者と引受人との契約だけで併存的債務引受をなすことを認める可能性があるわけである。判例は、それを、債権者を第三者とする「第三者のためにする契約」の形で認める。もつとも、判例がこの理論を現実に確立するのには、かなり長い年月を要した。——すなわち、明治時代の判決【28】【29】は、「第三者のためにする契約」が認められるには、第三者が受けるべき給付はその第三者と契約当事者との間に契約以前にすでに存在するようなものであつてはならない、という理論のもとに、債権者の引受人に対する請求ないし執行を拒否した。しかし、大正時代に入ると、まず、債権者の引受人への請求をしりぞけるのに、「第三者のためにする契約」が理論上不可能であることを根拠とせず、第三者（債権者）にその給付を受ける権利を取得させる「意思」が当事者に欠けていることを、根拠とするようになり【30】、次いで、明治時代の判例理論に基いて債権者の引受人に対する請求を排斥した原審判決に対し、その理論の誤りであることを指摘するとともに、契約当事者の意思が第三者（債権者）に権利を取得させることにあるかどうかを探究すべきだ、とさとした【31】。そして、ついに昭和に入つて、債務者と引受人間で債務者を債務関係から脱退させようとする約旨は、特別の事情のないかぎり、第三者（債権者）に直接債権を取得させる意思あるものと解すべきだとする判決【32】や、第三者（債権者）に直接権利を取得させる意思で履行の引受をしたものとして「第三者のためにする契約」の成立を現実に認定する判決【33】が、出現するようになつた。かようにして、原債務者・引受人間の「第三者のためにする契約」による債務引受を認める判例理論は、確立されたのである。――明治時代に「第三者のためにする契約」による併存的債務引受を否定した理論は、併存的債務引受が、現に債権者のもつている債権をさらに重ねてその債権者に取得させるといつたものではなく、債権者が現にもつている債権のほかに新しい債権を債権者に取得させるものであることを、忘れた議論であり、判例理論が改められたのは当然のことといわねばならない。

【28】　原審は、Yが Aの債務を Aに代つて弁済すべき旨の契約は債権者に利益を与えるものではなく、いわ

ゆる第三者に対して給付をなすことを約したものではない、と判断して、債権者XのYに対する強制執行を不当だとした。X上告し、第三者のためにする契約に関する民法五三七条は給付の目的を制限しないから、債務の引受を含み、しかもXは受益の意思表示をしたから、Yに対して弁済を請求しうるはずだ、と主張した。

「民法第五三七条ハ契約ニ依リ当事者ノ一方ガ第三者ニ対シテ或給付ヲ為スベキコトヲ約シタル場合ノ規定ニシテ、其第三者ハ債務者ニ対シテ直接ニ契約ノ目的タル給付ヲ請求スル権利即チ債権ヲ取得スルニ至ルモノナレバ、第三者ガ給付ヲ受クベキ債権関係ハ当事者トノ間ニ於テ未ダ曽テ存在セザル所タラザル可カラズ。若シ其債務関係ニシテ已ニ存在セルモノナランニハ債権者ト新債務者トノ間ニ債務者ノ交替ニ因ル更改契約ノ成立スルコトアルモ、該条ヲ適用スヘキ第三者ニ対シテ或給付ヲ為スベキコトヲ約シタル場合ニ該当セザルモノトス」（大判明三七・四・二〇 民録一〇・四七三）。

【29】 債務者Aとの間でYが債務を「継承負担」すべきことを約し、債権者Xはこの契約の利益を享受する旨をYに表示したうえ履行を求めた。原審が、第三者のためにする契約だからYに債務履行の義務があるとしたのに対し、Yは上告して、債務の承継に関する契約は民法五三七条に該当しないことを力説した。

「契約ハ其当事者ヲ拘束スルニ止マリ第三者ニ其効力ヲ及ボサザルヲ原則トスルヲ以テ、民法第五三七条ノ如キ特別ノ規定アルニ非ザレバ、契約ノ当事者ニ非ザル第三者ガ其契約ニ基キ直接ニ履行ヲ請求スルコトヲ得ザルモノト謂ハザルヲ得ズ。民法第五三七条ノ規定ハ第三者ノ受クベキ給付ガ其第三者ト契約当事者トノ間ニ契約前既ニ存シタル債権ニ基ク場合ヲ包含セザルコトハ本院判例（昭治三七年（オ）第三四号事件同年四月二〇日判決）ノ示スガ如クナルヲ以テ、契約当事者ノ一方が第三者ニ対シ既ニ負担シタル債務ヲ相手方ニ引受ケシムベキコトヲ約シタルガ如キ場合ハ、同条ノ規定ニ該当セズ。而シテ債務ノ引受ニ関スル法律行為ニ付テハ、法律ニ別段ノ規定存セザルヲ以テ、契約ニ関スル一般ノ法則ニ従ヒ其効力ヲ定メザルベカラズ。故ニ債務者ガ他人ヲシテ其債務ヲ引受ケシムベキコトヲ其他人ト契約シタル場合ニ於テハ、債権者ガ其他人ニ対シテ直接ニ債務ノ履行ヲ請求スルニハ債権者モ亦契約一般ノ規定ニ従ヒ右契約ノ当事者ニ加入シタル事蹟ナカルベカラズ。

即チ債務引受契約ノ趣旨ニ依リ其当事者ガ債権者ニ対シテ債務引受ノ意思ヲ表示シ債権者ガ之ヲ承諾シタル場合ニ非ザレバ、其他人ニ対シ直接ニ債務ノ履行ヲ請求スル権利ヲ有スルニ至ラザルモノト謂フ可シ」（大判明四二・二・一七民録一五・一二）。

【30】　AはXの土地を借りて建物を建ててこれをYに抵当に入れた。Yが抵当権を実行した際、YA間の契約で、建物はYが引取り、Xに対する延滞地代を競売代金の一部に計算してYからXに支払うべきことを定め、Xは受益の意思表示をした。原審は、AY間の契約は当事者がXに直接権利を取得させる意思で締結されたものでないと認め、第三者のためにする契約でないから、Xが受益の意思表示をしても無効だとした。X上告。「民法第五三七条ハ、当事者ノ一方ガ第三者ニ対シ或給付ヲ為スベキコトヲ相手方ト契約シタル其本旨ガ、第三者ヲシテ其給付ヲ受クル権利ヲ取得セシムル意思ニ出デタル場合ヲ規定シタルモノト解スルヲ当然トス。故ニ契約当事者ニ全ク其意思ナクシテ単ニ其一方ガ相手方ノ第三者ニ対スル債務ヲ弁済スベキコトヲ約シタル場合ノ如キハ、唯其相手方ノ為メニ契約シタルニ過ギズシテ第三者ノ為メニスル契約ヲ為シタルモノニ非ザルヲ以テ、同法条ノ規定ヲ適用スベキ限リニ在ラズ。斯ノ如キ場合ニ於テハ、契約当事者ノ一方ハ相手ノ為メニ其第三者ニ対スル債務ヲ弁済スベキ義務ヲ負担スルニ至ルベシト雖モ、其契約ハ第三者ヲシテ権利ヲ取得セシムルコトヲ目的トシタルモノニ非ザルヲ以テ、第三者ノ為メニ其効力ヲ生ズベキ理由ナク、従テ第三者ガ契約ノ利益享受ノ意思ヲ表示スルモ之ニ因リテ其第三者ガ右当事者ノ一方ニ対シ直接ニ給付ヲ請求スルノ権利ヲ取得スルコトヲ得ザルモノトス」（大判大四・七・一六民録二一・一二二七）。

【31】　「第三者給付ノ契約ハ、契約当事者ガ契約ノ目的タル給付ノ上ニ第三者ヲシテ一定ノ権利ヲ取得セシムル目的ニ於テ当事者ノ一方ガ相手方ニ対シ第三者ニ給付スベキコトヲ約スルニ因リ成立スルモノナルガ故ニ、必ズシモ要約者ト第三者トノ間ニ給付ノ債務関係ナク新ナル独立ノ給付ヲ約シタル場合ニ限ルコトナク、既存ノ債務ノ履行ヲ引受ケ支払ヲナスコトヲ約スル場合ニ於テモ、当事者ノ意思ガ前掲ノ如ク第三者ヲシテ権利ヲ取得セシムルニアルトキハ第三者ノ為メニスル契約ハ成立スルコトヲ得ルモノトス」（大判大六・一一・一民録二三・一七一五）。

【32】　YがAから建物および土地賃借権を買受ける際、その代金の一部(一四〇〇円)を支払わない代りに、AがXに対して負担する借地権買受代金債務をAのために自らXに弁済すべきことをAに約束し、「地上権ソノ他ニ付キ拙者引受ケ毫モ貴殿ニ御迷惑相掛ケ申間敷」旨を記した念証をAに差入れた。Xの訴求に対し、原審は、右の契約には直接Xに債権を取得させる意思が見られないとの理由で、Xの請求を排斥した。Xは上告して、本件のように自己の相手方に対する債務の履行に代えて相手方が第三者に対して負担する債務を直接自ら第三者に対して履行すべき契約をなす以上、当事者の意思は一種の相殺的効果を収めようとする点にあるのだから、当然債権者に直接権利を与える意思と解すべきである、と主張した。

「其ノ趣旨ヨリ見ルトキハYトAハ此ノ契約ニ依リYニ於テ支払ヲ留保シタル千四百円ヲ以テ直接ニXノAニ対スル債権ノ支払ニ充ツルコトトシ千四百円ノ支払ニ関スル権利関係ヲYトX間ニ移シ依テ以テAトY間ノ代金支払計算ヲ全然済方ト為シタルコトヲ窺フニ足ルモノニシテ、此ノ如クAヲシテ代金ノ支払関係ヨリ脱退セシメントスル約旨ハ、YヲシテXニ対シ右金円ヲ支払フベキ義務ヲ直接ニ負担セシムルコトニ依リテ最モ適当ナル解決ヲ見ルベキモノナルヲ以テ、前記文言ニ依ル契約ハ他ニ別状ノ事情ナキ限リ之ヲ以テYガXニ対シ如上債務ヲ負担スルコトヲAト諾約シタルモノト解スルヲ相当トス」(大判昭九・一二・一〇裁判例(八)民二八六)。

【33】　Aが刑事事件容疑者として警察署に留置中、押収されたA所有の貴金属をYに譲渡し、その代金三四二円とAがYに対して負担していた借金債務と相殺し、やがてその貴金属の賍品である疑いが晴れてYが還付を受ける際、YはAがXに対して負担していた一〇〇円の債務の弁済引受をした。Xは受益の意思表示をしてYを訴求。原審が第三者のためにする契約だとしてXの請求を認めたのに対して、Y上告し、これは履行引受契約であり、第三者のためにする契約だとするにはその理由を示さねばならない、と主張した。上告審も原審を支持して、次のように判示し、Xの受益の意思表示によりXはYに対して履行請求権を取得したものと結論する。

「契約当事者ノ一方ガ第三者ニ対スル相手方ノ債務ノ履行ヲ引受ケ支払ヲ為スコトヲ約シタル場合ニ於テモ、其ノ当事者ノ意思ガ第三者ヲシテ権利ヲ取得セシムルニ在ルトキハ、第三者ノ利益ノ為メニスル契約ノ成立ヲ認メ得ベキモノトス（大正六年（オ）第三八七号同年一一月一日言渡当院判決参照）」（大判昭一〇・一〇・一九新聞三九〇九・一八、判決全集(二・三)九）。

債務者と引受人との間で債権者のために「第三者のためにする契約」がなされた場合には、債権者は、受益の意思表示をすることによって引受人に対する債権を取得することになる【33】。実際上は、引受人に請求すること自体が、受益の意思表示となろう（大判大七・一一・五民録二四・二一三一）。また、営業譲渡の場合に関し、併存的債務引受の商慣習を認め、その引受はかならずしも債権者の同意を要しないとした古い下級審判決（後出【38】）のあることも――その趣旨はかならずしも明確ではないが――注目に値する。

（ロ）　併存的債務引受か履行引受かの認定　　当事者の一方が相手方の第三者に対する債務の履行を引受けて支払をなすことを約束した場合に、それが単に当事者間の内部関係にとどまる『履行引受』か、それとも第三者のためにする契約と結合して『併存的債務引受』をともなうかは（この二つの概念の区別については後述六五頁参照）、債権者に直接権利を取得させる意思が当事者にあるかどうかによって決まることである。そして、かような意思の有無は「各場合ニ付決スベキ事実問題ニ属ス」るが【34】、第三者のためにする契約の付加は一般に生ずるところではないから、特別の事情のないかぎり、単なる「履行引受」と解すべきだ【35】【36】、とするのが、判例の態度である。――もっとも、判決のなかには、履行の引受は第三者のためにする契約にほかならない、とするものもあるが【37】、これは判例理論を逸脱するものであり、理論的にも是認し難い（本件と類似の事案に関し、やはり本判決と同じ見解をとった原審判決を破毀した【35】を参照せよ）。

【34】　AがXに対して負担する貸越債務の抵当に入っている永代借地権をYが譲受け、両者の示談契約によ

つて、Aの債務をYが支払うことを約した。Xの訴求に対し、原審は、債権者Xに直接Yに対して請求しうる権利を取得させる意思をYが表示した事実は認められない、としてXを敗訴させた。X上告し、Aに右永代借地権のほかに資産のなかつたこと、Xが抵当権を有すること、Yの永代借地権譲受に際しAに涙金を与えた事実をあげて、かような事実のもとにおいてはYはXに直接履行をなすべき暗黙の意思表示があつたといえる、と主張した。しかし、大審院はこれを認めない。

「当事者ノ一方ガ相手方ノ第三者ニ対スル債務ノ履行ヲ引受ケ支払ヲ為スコトヲ約スル場合ニ在リテハ、当事者ハ或ハ第三者ヲシテ直接権利ヲ取得セシムルノ意思アルコトアリ、又然ラザルコトアリテ、其ノ何レナルヤハ各場合ニ付決スベキ事実問題ニ属ス」（大判昭五・三・一二新報二一八・一三）。

【35】Aの債務整理のため、YはAから田地を譲受け、その代りAがXその他各債権者に対して負担する債務の履行を引受けた。Xは訴求によつて受益の意思表示をする、としてYに請求した。原審は、これは履行の引受だから第三者のためにする契約になるとして、Xを勝訴させた。Y上告し、第三者のためにする契約を認めるには、債権者に給付を受ける権利を取得させる意思が当事者にあつたかどうかを探究しなければならない、と主張した。大審院はこれを容れて破毀差戻。

「履行ノ引受トハ引受人ニ於テ債務者ノ為メ其ノ負担スル債務ノ履行ヲ為スコトヲ約スル引受人及債務者間ノ契約ニ過ギズシテ、該契約ニ因リ第三者タル債権者ガ直接引受人ニ対シ之ガ履行ノ請求権ヲ取得スルモノニ非ズ。而シテ民法第五三七条第一項所定ノ所謂第三者ノ為メニスル契約ニ於テハ、当該契約ニ因リ第三者ヲシテ直接諾約者ニ対シ給付ノ請求権ヲ取得セシムルモノナルガ故ニ、契約当事者間ニ於テ特ニ第三者タル債権者ヲシテ直接引受人ニ対シ履行ノ請求権ヲ取得セシムルコトヲ約シタル場合（所謂重畳的債務引受ノ効力ヲ生ズル場合）ニ非ザル限リ、之ヲ以テ第三者ノ為メニスル契約ナリト論断スルヲ得ザルモノトス（大正六年（オ）第三八七号事件同年一一月一日言渡判決参照）。」（大判昭一一・七・四民集一五・一三〇四（判民同年八七事件東））。

【36】学校の注文で軍事教練用宿舎の建築を請負つたAが工事施行のためXに立替金債務を負担し、支払に

困つていたので、宿舎の建設を進言した配属将校Yが個人としてその弁済を引受けることをAに約束した。XがAを訴求。原審は第三者のためにする契約を認め、Xの請求を認めたので、Y上告、Yの地位や動機から考えても、Xに直接請求権を認める約旨ではなかつたと反論し、大審院はこれを容れた。

「既存債務ノ履行ヲ引受ケ第三者（当該債務ノ債権者）ニ対シ債務ノ内容タル給付ヲ為スベキコトヲ約スル場合ニ於テモ、当事者ノ意思ガ右第三者ヲシテ引受人ニ対シ直接ニ給付ヲ請求スル権利ヲ取得セシムルニ在ルトキハ、所謂第三者ノ為ニスル契約成立スベキモ、這ハ固ヨリ一般ニ生ズベキ所ニアラズ。故ニ履行引受契約ニ於テ第三者タル債権者ガ権利ヲ取得シタリトノ事実ハ、反証ナキ限リ、之ヲ否定スルヲ相当トス。即チ引受契約ノ目的其ノ他諸般ノ事情ニ稽ヘ且取引観念ニ照シ別段ノ理由アラバ格別、漫然如上事実ヲ推定スルガ如キハ其ノ不可ナルヤ言ヲ俟タズ」（大判昭一四・一二・二三新聞四五二一・七、評論二九民一三九）。

【37】　債務者Aの財産をYが引受け、その代り、AのXに対する債務の履行をなすべきことをAと約した。Xは受益の意思を表示し、Yを訴求。原審はXの請求を認めたので、Y上告し、明治時代の判例理論に立つて次のように主張した。もし原判決が第三者のためにする契約と解したとするならば、第三者の給付を受けるべき債権関係が当事者との間にすでに存在する場合について民法五三七条を適用した違法がある、と。

「債務者ト第三者トノ間ニ締結セラレタル債務者ノ負担スル債務ノ履行ノ引受契約ハ、民法第五三七条所定ノ第三者ノ利益ノ為ニスル契約ニ外ナラザルコト当院ノ判例トスル所ナリ」（大判昭七・三・二六新聞三三九六、評論二一民三九六）。

ドイツ民法も、債権者を満足させるべき約束は、疑わしいときは、単に履行引受と解すべく、債権者のための併存的債務引受と解すべきでない、とする趣旨の規定（ド民三二九）をもつており（Enneccerus-Lehmann, op. cit., §84 IV 2b）、わが国の通説も同じような見解をとるものといつてよい（鳩山「我民法に於ける債務履行の引受を論ず」民法研究三巻三六七頁、末川・一三〇頁、東・判民昭和一一年八七事件評釈）。

それでは、判例は、どのような場合に単なる履行引受を認定し、どのような場合に履行引受のほか併存的債務引受を認定しているか。判例の具体的事実を調べただけでは、判例のとる判定の基準はかならずしも明らかでない。しかし、全然でたらめでもない。

(a)　まず、営業の譲渡のように、実質的利害関係が債務者から引受人に移転した場合には、営業上の債務につき履行の引受のみならず併存的債務引受の意思があるものと推定する傾向がある。すなわち

まず、大正元年の東京控判【38】は、営業全部の譲渡の場合には併存的債務引受のなされる商慣習が認められる、としている（この判決については二四頁(d)参照）。この判決では、営業譲渡人・譲受人間の履行の引受の有無が明確でないが、営業譲渡の場合には――免責的債務引受を否定して併存的債務引受を認めるかぎり――当事者間では引受人に免責を得させる義務を課する必要があるから、特別の事情のないかぎり履行の引受が競合するものと考えるべきであろう（末川・一二六頁参照）。

【38】　A個人の経営する銀行の営業を、Aらの設立した合資会社Yが譲受けたので、Aの債権者がYを訴求した事件。

「営業全部ノ譲渡アリタル場合ニ於テハ譲受人ハ譲渡人ノ負担シタル債務ヲモ引受クベキ商慣習アルコトヲ認ムルコトヲ得ベク、其商慣習法ノ趣旨ハ……営業ノ譲受人ハ営業ノ開始ヲ為シタルトキハ債権者ニ対シテ直接ニ債務ヲ負ヒ、従テ債権者ハ之ニ対シテ債務ノ履行ヲ請求スルコトヲ得ルモ、営業ノ譲渡人タル旧債務者ニ対シテモ債権者ハ依然権利ヲ失ヒタルニ非ズシテ、同一内容ノ給付ヲ譲受人ニ対シテ請求スルコトヲ得ベキモノトスルニアリ。即チ営業ノ譲受人ガ所謂債務ノ添加的引受ヲナシタルモノトスルニアリト解スルヲ相当トス。其引受ハ、引受人即チ営業譲受人ノナシタル営業開始ニヨリ効力ヲ生ジ、必ズシモ債権者ノ同意ヲ要セザルモノナルヲ以テ、若シ債権者ガ旧債務者ニ対スル権利ヲ失フモノトセバ往々不利益ナル地位ニ陥ルコトナキニア

ラザルノミナラズ、債務者ガ債権者ノ承諾ナクシテ処分スルハ債務ノ性質ニ反スレバナリ。仮ニ一歩ヲ譲リテ此ノ商慣習ナキモノトスルモ、AトY間ノ営業譲渡契約ノ目的タル財産中ニ債務ヲ包含スルコト前記認定ノ如クナルヲ以テ、該債務ニ関シテ如何ナル契約ヲ為シタルヤヲ審按スルニ、債権者ノ同意アリタリトノ立証ナキヲ以テ、債権者ノ利益ヲ害セザル範囲ニ於テ其効力ヲ生ズルモノト解スルヲ相当トス。然ラバ其契約ハ亦前顕債務ノ添加的引受契約ヲ為シタルモノト解スルノ外ナシ」(東京控判大元・一二・二四新聞八七〇・七、評論二商一四二)。

もつとも、同じような事件(引受人＝被告は右の【38】と同一会社である)において、後出【56】の大審院判決は、履行の引受を認定した原審判決を支持して、第三者のためにする契約による併存的債務引受の成立を否定したから、【38】の判旨は、いつたん否定されたことになる。

しかるに、最近、東京高裁【39】は、営業譲受人が「今般弊社は某事業を甲会社より譲受け、乙会社として新発足することになりました」という広告が商法二八条の「広告」に該当するとして、甲会社に対し不法行為債権を有していた者の乙会社に対する請求を認めたが、その判決において、「営業譲渡の契約は特段の合意をしないかぎり、譲受人が営業上の債務を引受ける趣旨であると解すべきである」としており、その上告審たる最高裁【40】も、「右広告は、営業に因つて生じた債務をも引受けた趣旨と解する」として、同じ趣旨を認めている。これは、営業の譲渡があれば、債権者に対する関係でも譲受人が譲渡人の債務を引受けるものと推定しうる旨を明らかにしたものと解される。なぜなら、商法二八条にいわゆる「債務ヲ引受クル旨ヲ広告シタルトキ」とは、かならずしも文字どおり「債務ヲ引受クル」旨の表現が用いられることは必要でないにしても、少なくとも、譲渡人の営業上の債務について譲受人がその債権者に対して直接に弁済の責を負うべき旨が明らかにされることを要し、単に営業を譲受けたという広告に譲受人の弁済責任という効果を付与したものではない、と解されるからである（最高裁判決に対する大森教授の批評・民商三二巻三号三〇五―六頁参照）。そして、【39】および【40】の判決は、単に「債務の引受」という表現を用い、「併存的債務の引受」とはいっていないが、すでに述べたように、営業譲渡の場合といえども、少なくとも単独の債務の引受に関するかぎり、併存的債務引受が推定されることになるから（前出二四頁(d)参照）、【39】【40】は、結局、営業譲渡のあった場合には、当事者に（履行引受のほか）併存的債務引受の意思あること、すなわち、債権者のために「第三者のためにする契約」をなす意思のあることを、推定すべきである、という趣旨のものとして理解されるのである。

【39】　A電鉄会社の電鉄路線を譲受けたY会社が「今般弊社は………線の地方鉄道軌道業並に沿線バス事業を甲会社より譲受け、Y会社として新発足致すことになりました」という新聞広告をした。A会社時代に従業員の過失で死亡した者の遺族Xらから、Y会社に商法二八条を根拠として損害賠償を請求する。

「この広告には、『今般弊社は六月一日を期し品川線湘南線の地方鉄道軌道業並に沿線バス事業をA会社より譲受けY会社として新発足致すことになりました』とあることが認められる。ただし、この広告には、譲渡人A会社の営業によって生じた債務を引受ける旨を、特に明記してはない。そこで、この広告を商法第二八条の広告とみることができるかどうかを考えるに、『営業の譲渡』という場合の営業とは、営業に関する一団の財産を意味し、物、権利、営業上価値ある事実関係のみならず、営業関係の債務をあわせふくむのであるから、営業譲渡の契約は特段の合意をしないかぎり、譲受人が営業上の債務を引受ける趣旨であると解すべきである。従って、『営業を譲受けました』という表示は『譲渡人の営業により生じた債務を引受けます』という意味をもつものと認めるのが相当であるから、前記広告、商法第二八条の広告と認めることができる」

（東京高判昭二六・九・一二下級民集二・九・一〇七六、判タ二一・五二）。

【40】【39】の原審判決に対してYが上告し、営業譲渡があつても、特段の意思表示がないかぎり、営業上の債務は当然に譲受人に移転するものでない、と反論した。

「商法二六条は、譲受人が譲渡人の商号を続用する結果営業の譲渡あるにも拘わらず債権者の側より営業主体を認識することが一般に困難であるから、譲渡人のかかる外観を信頼した債権者を保護するために、譲受人もまた右債務弁済の責に任ずることとしたのであり、同二八条は、譲受人が譲渡人の商号を続用しない場合であるから、譲受人が右のごとき外観を呈することはないから、一般的には譲渡人のみ債務を負担し、譲受人に債務弁済の責任を負わせる必要はないが、特に譲渡人の営業に因つて生じた債務を引受くる旨を広告したときは、譲受人に右債務弁済の責任を負担せしめることとしたのである。されば、右二八条において、譲渡人の営業に因つて生じた債務を引受ける旨を広告するというのは、同条の法意から見て、その広告の中に必ずしも債務引受の文字を用いなくとも、広告の趣旨が、社会通念の上から見て、営業に因つて生じた債務を引受けたものと債権者が一般に信ずるが如きものであると認められるようなものであれば足りると解すべきである。……原審で確定された本件広告の内容に『地方鉄道軌道業並に沿線バス事業を……譲受け……』とあるのは、この場合は右事業に伴う営業上の債務をも引受ける趣旨を包含すると解するを相当とし、また営業譲渡人が営業上の不法行為によつて負担する損害賠償債務が、商法二八条の『営業に因つて生じた債務』に該当すると解するを相当とする。それ故、本件広告の文中には、譲渡人Aの営業に因つて生じた債務を引受けることは明記されていないが、……右広告は、営業に因つて生じた債務をも引受けた趣旨と解するを相当とすること上述の通りであるから、営業譲受人たるYにおいて、右債務を弁済すべき責を負うべきものといわなければならない」（最判昭二九・一〇・七民集八・一〇・一七九五）。

もつとも、商法学者は、あるいは、【39】【40】の判旨を右のように理解しつつ、営業譲渡と譲受人の債権者に対する直接的な責任負担とは当然に相伴うことがらではない、として、右の判旨に反対し（大森・前掲三〇五頁―もつとも、原審判決たる【39】では、譲受人が債権者に対してある金額の支払を申出ていることをも譲受人の弁済責任負担の理由としている点で、商二八条の適用を認めたのは正当だ、としている。同三〇六頁）、あるいは、営業譲渡の契約は特段の合意のないかぎり譲受人が営業上の債務を引受ける趣旨と解すべきだとする原審判決【39】を、単に当事者間の関係を述べたにすぎないものとして理解しようとする（大隅・商法総則（法律学全集）三二七頁、三二八頁註（一））。しかし、右の判決は、上述のように――単に当事者間の履行引受にとどまらず――併存的債務引受を推定する趣旨に解すべきであり、そしてこの結論は、営業譲渡によつて債務負担の基礎たる実質的関係が移転するものである以上、けつして行過ぎの解決ではないといわなければならない。

(b)　引受人が双務契約（例、売買）の反対給付（例、代金）の代りに相手方の債務を引受けた場合【32】、抵当目的物の第三取得者が抵当債務を引受けた場合【34】、建物の抵当権実行者が敷地の延滞賃料を競売代金の一部に計算して引受けた場合【30】、財産を引受けその代わりに債務を引受けた場合【35】【37】、その他なんらかの対価を取得して債務を引受けた場合（【33】―本件では、引受人の取得した貴金属の実価が、その代金と相殺された引受人の債権額を上回つていたと推測され、結局、債務引受につき対価を取得したといえる）に関しては、判例の動向は明確でない。すなわち、【33】【37】は併存的債務引受の成立を認め、【32】はその成立を推定したが、【35】は、債権者に直接請求権を取得させる約旨か否かを審理すべきだと慎重な態度をとつており、【30】【34】は履行の引受しか認めない。すなわち、これらの事情があるだけでは、債権者に直接権利を取得させる意思を認めるべき「特別の事情」とはいえない、ということに帰着するわけである。

学説としては、引受人をして債務者と契約させるに至つた経済上の事情が、従来の債務者に免責を得させてこれに利益を与えることのみを要求していると認められる場合、たとえば、慈善・謝恩・返礼等の意味で無関係の第三者が弁済を引受けた場合や双務契約当事者の一方が反対給付の代わりに相手方の第三者に対する債務を弁済すべき旨を約する場合（【32】の場合）などは、履行の引受のみが成立し、債務負担に関する実質的利害関係（債権者が従来の債務者に対して債権を取得しこれを保有し来った経済上の理由）がまったく第三者に移る場合、たとえば営業譲渡・賃貸物の譲渡・抵当不動産の売買の場合には、履行の引受と併存的債務引受との結合態を生じ、また既存の企業に引受人が参加する場合には併存的債務引受のみが認められる、とする説（末川・一二三―九頁）が、有力である。

（五）併存的債務引受が原債務の成立と同時であることは妨げないか　併存的債務は、すでに存在する債務に参加するものだが、実質さえそうであれば、その参加が時間的に原債務の成立と同時であっても、さしつかえない。次の【41】は、実際にはAがYから金を借りるのだが、一通の借用証書に引受人Xが連署して連帯債務を成立させた場合に関し、やはり併存的債務引受を認め、その場合にはXが金銭を受取らないからといって、消費貸借の成立が妨げられることはない、としている（有泉・判民昭和九年九〇事件評釈、末川・民商一巻二号二九六頁の評釈も、これに賛成している）。

【41】　AがYから金を借り、その借用証書にXが連帯債務者として署名し、Xは自分の土地の上に抵当権を設定。後になって、X自身は金銭の授受に関与しないから、右の消費貸借は要物性を欠き無効である、として、債権・抵当権の不存在の確認を求めた事件。原審が消費貸借の成立を認めたので、X上告。

「消費貸借上ノ債務ニ付他人ガ添加的債務引受ヲ為シ該借主ト相並デ連帯債務ヲ負担スルコトハ法律上固ヨリ有効ニシテ、斯ル場合ニハ消費貸借ノ成立要件タル目的物ノ授受ハ貸主及借主間ニ於テ行ハルベキモノナルコト自明ノ理ナリトス。原判決ニ『Xノ本件連帯債務ノ負担抵当権ノ設定ハ内実ニハ訴外Aノ債務ノ履行ヲ確保スル意味ニ於テ之ヲ為シ他方実質上ノ主債務者ニシテ本件貸借ニ関シ折衝ノ局ニ当リタルAトY間ニ本件連帯債務ノ基本タル三千五百円ノ消費貸借成立セリト認ムヘキ（中略）以上、Xモ亦三千五百円全額ニ付テ連帯債務ヲ負担シ、其設定ニカカル抵当権ハ全額債務ヲ担保スルモノト謂ハザルベカラズ』ト云フハ、蓋シ冒頭説明ノ如キ態様ニ於テ本件連帯債務ノ成立シタル所以ヲ挙示ノ当該証拠資料ヲ斟酌シテ判示シタルニ外ナラズ」(大判昭九・六・三〇民集一三・一一九七（判民同年九〇事件有泉）)。

三　併存的債務引受の効果

（一）　原因関係から独立か　　併存的債務引受は既存の債務に依拠してなされるものであるから、その成立において原債務の有効な存在を前提とし、その意味では有因だが(末川・一〇三―一〇四頁)、引受人が原債務者のために併存的債務引受をなすにいたつた原因関係に対しては、併存的債務引受は無因である、とするのが学説のほぼ一致するところである。けだし、この原債務者・引受人間の原因関係は、新しい債務を負担するという行為をなす動機にすぎず、その消長は併存的債務引受の効力に影響すべきでないからである(近藤＝柚木・四七〇頁、末川・一〇一―一〇二頁)。この点についてはつきりした解決を与えた判例はないが、次の【42】がこれに関係があると考えられる。それは、土地の買主が、代金支払方法として、売主の第三者（債権者）に対する債務を三面契約で併存的に引受けた場合に関し、この併存的債務引受は売買契約の存続を条件とするものだつたとする原審の事実認定を否定したうえ、さらに、売買契約の存続を条件とする債務引受を成立させる意思のものと推定する原審判決の理論を批判して、売主の不履行によつて売買契約が解除された場合は格別、買主自身の債務不履行に基いてその売買契約が解除されたときでも債務引受が効力を失うことを約したものとする実験法則はない、と判示するものである。

【42】 AがX土地を抵当としてXから金を借りていたが、その抵当権つき土地をYが買ったので、代金支払方法として、三者合意の上、Yが右債務を併存的に引受けた。XがYを訴求。しかるに、AY間の土地売買契約はYの債務不履行により解除されており、原審は、Yの併存的債務引受行為は右の売買契約の存続を条件としたもので、売買契約は解除されたから、債務引受行為も効力を失った、としてXを敗訴させた。X上告して、AY間の内部的特約は第三者たるXには対抗しえないはずだ、と主張。大審院は、AY間に売買契約の存続を条件とする約旨は認められないとし、次いで、原審判決の根拠となった一般論を次のように反論する。

「原審ハ其ノ判決理由ノ一節ニ於テ『通常売買代金ノ支払方法トシテ債務引受ヲ為ス本件ノ如キ場合ニ於テ、特ニ明確ナル独立単純ノ引受意思ノ存セザル以上ハ、一般ニ条件附債務引受ノ意ナリト認ムルヲ相当トスルヲ以テ、当裁判所モ亦以上ノ理由ニヨリ本件ヲ右売買契約ノ解除セラレザルコトヲ条件トスル債務引受ナリト認ム』ト説示シ、之ヲ以テ本件Yノ為シタル所謂重畳的債務引受行為ハAトY間ニ於ケル土地売買契約ノ存続ヲ条件ト為シタルモノナルコトヲ認メタル一理由ト為シタリト雖、凡ソ債務者ハ信義誠実ノ原則ニ従ヒ債務ヲ履行スル意思ヲ以テ債務ヲ負担スルコトハ、言ヲ俟タザル所ナルヲ以テ、本件ノ如ク売買代金ノ支払ノ方法トシテ売主ノ債権者ニ対スル債務ノ引受ヲ為シタル場合ニ於テ、売主ノ不履行ニヨリ売買契約ガ解除セラレタルトキハ格別、然ラズシテ買主自己ノ債務不履行ニ基キ該売買契約ガ解除セラレタルトキト雖、尚且其ノ為シタル債務引受行為ガ其ノ効力ヲ失フコトヲ約シタルモノト為スベキガ如キ実験法則アルコトナシ」(大判大一五・一〇・一四評論一六民一五二)。

この判決に対し、引受行為は原債務者・引受人間の原因関係から無因だから、売買契約がどちらの当事者によって解除されても効力を失わない、と解すべきではないか、との批判が加えられている(近藤＝柚木・四六五頁—なお、同書は本判決を免責的債務引受の例としてあげている)。しかし、本判決は、引受行為を有因とするような特約が存在したという原審の認定を否定し、上告を理由ありとしたうえで、原審の意思推定の法則に関する理論を反論しているのであつて、第一次的には、本件の原因関係が引受行為に影響することを認めてはいないのである。したがつて、本判決をもつて引受行為の無因性を否定するものと即断することはできない。ただ、それは、当事者の意思によつて有因とする可能性を否定しないとはいえる（そして、債権者も関与する以上、かような可能性を否定すべき理由もないのではないか）。また、本判決が第二段として述べているところは、本条のような場合にたとえ引受行為を有因にする意思が推定されるにしても（事実、本件の引受契約は三面契約でなされ債権者も参加しているから、かような推定もあながち不可能とはいえない）、法律行為の解釈は条理（信義誠実の原則）に従つてなされなければならないという原理からすれば、自分の債務不履行による解除の場合にまで引受行為が効力を失うという意思を推測することは許されない、という趣旨であろう。本判決を以上のように理解すれば、あえて反対すべきものはない、といわなければならない。

（二）　原債務と引受人の債務との関係

(1)　原債務者の債務と引受人の債務とはいかなる関係に立つか。判例は両債務は連帯債務関係に立つものとし【43】【44】【45】【46】（同旨、大判昭一〇・八・一〇新聞三八八二・一七、大判昭一二・四・二二法学六・九・八六、大判昭一五・六・二六判決全集七・二三・一一。なお【41】参照）、そして逆に、他人の借財と同時に連帯債務者となり【41】、あるいは後から連帯債務者となるのを（大判昭三・五・二評論一七民八一八（傍論））、併存的債務引受と認めているのである。

【43】　講に対するAの講金掛返債務につきXの先代Bほか一名が連帯保証人となり、Aも未登記のまま土地を抵当に入れた。Yがその土地を譲受け、代りにAの債務を併存的に引受ける旨を講総代に約束した。Xが弁済してYに求償したが、原審は、Xが不当利得返還請求または損害賠償請求である旨を陳述したことがあると

ころから、そのような権利はXにないとして、Xを敗訴させた。X上告。

「凡ソ債務ノ重畳的引受アリタル場合ニ於テハ、其ノ引受人ハ従来ノ債務関係ニ加入シ従来ノ債務ト同一原因ノ而モ同一給付ヲ目的トスル債務ヲ負担スルモノニシテ、従来ノ債務者及債務引受人中何レカ一人ノ弁済ニ因リテ二者共其ノ債務ヲ免ルベク、即此ノ債務引受ニ因リ従来ノ債務者ト債務引受人トハ連帯債務ヲ負担スルモノト解スルヲ相当トスレバ、上記ノ如ク重畳的債務引受アリタル以上、爾後X先代B外一名ハ正シク右連帯債務者ノ一人タルAノ為ニ前掲債務ノ連帯保証ヲ為シタル関係ニアリタルモノト云フベク、従テAノ掛戻金債務不履行ノ為メ右Bノ相続人タルXニ於テ講ニ対シ保証債務ヲ履行シタルモノトセバ、民法第四六四条ニ依リ同人ハYニ対シ其負担部分ニ付求償権ヲ有スベキ筋合ナリトス。然ラバ、講ニ対スル判示支払金ニ付XガYニ対シ償還ヲ請求シ得ベキヤ否ヤヲ判断セントセバAトノ関係ニ於ケルYノ負担部分如何、判示支払金ガ求償権ノ範囲ニ包含セラルベキモノナルヤ否ヤ等ニ付テ、審理ヲ要スベキコト多言ヲ要セズ」(大判昭一〇・一一・二七判決全集(二四)一〇)。

【44】　AのX信用組合に対する債務につき、Aの父Bが併存的引受をした。XがBの相続人Yを訴求。原審ではX勝訴。Y上告して、事実認定と釈明の不備を攻撃する。すなわち、Xは、第一審で、Bが併存的債務引受をして連帯債務を負担したものである、と釈明しているが、併存的引受かならずしも連帯ではない。原審が併存的引受を認定しただけで保証か債務者の交替による更改かを明らかにしないのは不法であるというのである。

「債務ノ引受ニアリテハ、従来ノ債務関係ニ入リテ原債務其ノモノヲ負担スルモノナルガ故ニ、原債務者ヲシテ其ノ債務ヲ免レシメザル債務引受即チ重畳的(若クハ附加的)債務引受アリタル場合ニ於テハ、爾後原債務者ト引受人トハ何レモ同一原因ノ而モ同一給付ヲ目的トスル債務ヲ負担シ、両者ノ内一人ノ弁済ニ因リテ両者共其ノ債務ヲ免ルベキ関係ニ立ツモノト謂フベク、斯ル関係ハ当初ヨリ数人ガ同一原因ニ基ク同一ノ給付ヲ目的トスル連帯債務ヲ負担シタル場合ト異ナルコトナキガ故ニ、重畳的債務引受アリタルトキハ爾後原債務者ト引受人トハ連帯債務ヲ負担スルモノト解スルヲ相当トス。」「Yノ先代BガXニ対スル訴外Aノ債務ヲ重畳的ニ引受タリトノXノ主張ハ、BガAノ債務ニ附加シテ之ト同一原因ノ而モ同一給付ヲ目的トスル債務ヲ負担シタリトノ趣旨ニ帰シ、Aノ債務ニ付保証債務ヲ負担シ若クハ債務者ノ交替ニ因ル更改ニ因リ新債務ヲ負担シタリトノ趣旨ニ解シ得ベカラザルガ故ニ、原審ガ右債務引受ノ主張ニ付更ニ釈明ヲ求メザルヲ不法ト為ス」べきでない（大判昭一二・四・一五民集一五・七八一（判民同年五〇事件有泉））。

【45】　債権者Xが債務引受人Yに対し訴を提起した。YとXとの間には履行延期の約束がなされており、Yの債務については消滅時効が完成しないが、原債務者Aの債務についてはすでに時効が完成していたので、Yは時効の抗弁を提出。原審も本判決もこれを認める。

「重畳的引受アリタルトキハ爾後債務者ト引受人トハ連帯債務ヲ負担スルモノト解スベキガ故ニ、民法第四三九条ニ依リ債務者ノ為ニ時効ガ完成シタルトキハ、其ノ債務者ノ負担部分ニ付テハ引受人モ亦其ノ義務ヲ免ルニ至ルベク、而シテ原判示ニ拠レバ本件債務ニ付テハ債務者Aニ全部ノ負担部分存スルコト明ナルヲ以テ……Aノ債務ニ付大正一三年七月一日以降時効中断ノ事由存セザル限リ、該債務ハ爾後十年ノ経過ニ因リ昭和九年六月三〇日消滅時効完成シ、之ガ効力ハ当然Yノ引受債務ノ全面ニ波及シテ同債務ヲ消滅ニ導クモノナ」り（大判昭一四・八・二四新聞四四六七・九）。

【46】　「重畳的債務ノ引受アリタルトキハ、爾後引受人ト原債務者トハ同一ノ目的内容ノ債務ヲ負担スルト共ニ一方ノ弁済ニヨリ両者共債務ヲ免ルベキ関係ニ立ツモノナレバ、反証ナキ限リ両者ハ連帯債務ヲ負担スルモノト解スルヲ相当トスベク、従テ引受人又ハ原債務者ノ一方ニ対シ裁判上ノ請求アリタルトキハ他方ニ付テモ時効中断ノ効果ヲ生ズルモノトス」（朝高院判昭一五・七・一六評論二九民九六五、司協一九・八・一四六）。

もっとも、次の大審院判決【47】は、「原判示ノ引受契約ニ於テ引受人ガ右連帯ノ責任ヲ負ハザルモノト解スベキ理由ヲ発見セザレバ」という根拠をあげて、原審の連帯責任を認めた判断を支持しており、また、右の朝鮮高等法院の判決【46】は、「反証ナキ限リ」連帯債務を負担するものと述べている。一部の判決にかような留保の見られることは、将来判例が連帯債務以外の法律関係を認定する可能性を残しているものとして、記憶するに値するであろう。

【47】 A会社の債務につきその代表者Yが個人の資格で併存的債務引受をなした。YはAと連帯して債務を支払うべきである、とする原審判決に対し、Y上告し、併存的債務の内容には連帯であることも保証であることも連帯保証であることもあり、一概に連帯とはいえない、と主張。

「重畳的債務引受アリタルトキハ、爾後引受人ト原債務者トハ連帯債務ヲ負担スルモノト解スルヲ相当トスベク、且原判示ノ引受契約ニ於テ引受人ガ右連帯ノ責任ヲ負ハザルモノト解スベキ理由ヲ発見セザレバ、原審ガ所論連帯責任ヲ認メタルコトモ亦不法ニ非ズ」（大判昭一二・三・一八判決全集四・六・二七〇）。

学説としては、かつては連帯債務説が支配的だつたが（石坂「重畳的債務引受論」民法研究三巻二五三頁、鳩山・三八二頁）、近時の学説は、両債務はかならずしもつねに連帯債務関係に立つものではないとすることに、ほとんど一致している。ただし、それにも種々の態様がある。すなわち、連帯債務であるほか保証でもあり得、そのいずれであるかは当事者の意思または具体的場合の事情によつて決定されるとするもの（末弘・一四四頁註一四）、原則として不真正連帯債務を生じ、原債務者と引受人との間に主観的共同（具体的には、原債務者の委託、原債務者が引受契約に加わつていること、引受人との間に引受をなさしめる関係のあること等、学者によつて差異がある）があつた場合にのみ連帯債務を生ずる、とするもの（末川・一四八頁以下、有泉・判民昭和一一年五〇事件評釈、柚木・〔六二〕一c）、原則として不可分債務を生じ、債務者・引受人相互間に主観的共同関係がありかつ相互保証的である場合のみ連帯債務となる、とするもの（山中「いわゆる連帯ということの意義」民商三三巻三号三三八頁）、債務者の連帯同意があれば連帯、そうでなければ場合により相対的連帯か不真正連帯か保証のいずれかを生ずると説くもの（於保・債権総論三〇四頁）などが、見られるのである。

学者がかように連帯債務とされる場合を限定するのは、併存的債務引受が第三者と債権者との契約でなされ、しかも、原債務者の委託のない場合に（いな、原債務者の意思に反する場合さえありうる）、連帯債務の規定を適用して、広い範囲にわたつて債務者の一人ごとに引受人について生じた事項に絶対的効力を認めることが、不都合だからである。この点、ドイツの場合と事情を異にすることに注意しなければならない。ドイツの連帯債務では、わが国の不可分債務（民四三〇条）と同じように、債務者の一人について生じた事項は、債務の目的を消滅させる事項以外は、絶対的効力を生じない（下民四二三一四二五）。したがつて、ドイツでは、原債務と引受人の債務を連帯債務として把握しても、不都合を生じない。ドイツで連帯債務と解されているからといつて、それをそのまま日本における解釈の参考とすることはできないのである。

それでは、連帯とされる場合を制限するとして、連帯とされない場合の法律関係はどのように構成すべきであろうか。保証、不真正連帯、不可分債務のどれをとるべきであろうか。まず、対外的効果を考えてみよう。原債務者と引受人とは、債権者に対しては平等の立場で債務を負担するのが併存的債務引受だから、それを保証と構成することはできない。また、連帯とされない場合の併存的引受では、一人とくに引受人について生じた事項は、債務の目的を消滅させる事項だけが絶対的効力をもつものと考えるのが適当だが、この要求は、不真正連帯債務、不可分債務のいずれによつても充たすことができる。次に内部関係（負担部分―求償）について考えてみよう。連帯とされない併存的引受は、引受人と原債務者との間に引受をなすべき関係もなく、しかも引受人が原債務者の委託を受けないで引受けた場合（そのなかには、原債務者の意思に反する場合も含まれる）に考えられるのだとすれば、引受人が支払つた場合の関係は、実質的には事務管理または不当利得というべきだが、具体的には、保証人が債務を弁済した場合の求償に関する民法四六二条がまさに類推適用されるにふさわしい。連帯とされない併存的引受を保証として把握する学説は、おそらくかような内部関係に着目したものであろう（しかし、対外的効果の点で採りえない）。これを不可分債務の一種と考えるのは、実質はともかく、明文（民四三〇条・四四二条）に反するから――用語の問題に帰着するが――不真正連帯（もっとも、この語も不明確・多義的ではあるが）を推定するのが穏当ではなかろうか。

原債務と引受人の債務は連帯または不真正連帯の関係に立ち、そして、通常は、原債務者と引受人間に主観的共同が存するのであるから、原則として連帯債務ということになる。もっとも、連帯とされる場合は、「不真正連帯」プラス「主観的共同」の場合であるから、論理的には、「原則として不真正連帯」というべきだろうが、蓋然性の点からは、「原則として連帯」というべきである。

(2)　原債務と引受人の債務が連帯関係に立つ場合であろうと、その他の場合であろうと、債権者は原債務者と引受人のどちらに対しても全額（もっとも、引受人に対しては引受けた額の限度で）を請求することができ、しかも、両者間に主従の区別はない【48】（なお【14】）。

【48】　【22】と同一事件。

「附加的債務引受ハ引受人ニ於テ新ニ債務者トナリ原債務者ト共ニ同一債務ヲ負担スルヲ云フモノニシテ、債務ノ履行ヲ確保スル一方法タルニ過ギズ、決シテ引受人ト原債務者ニ於テ各自別個ノ債務ヲ負担スルモノニ非ザルガ故ニ、引受人及ビ原債務者両者ノ内何レカ一方其債務ノ履行ヲ為ストキハ、他ノ一方ノ債務ハ之ニ依リテ当然消滅スベク、債権者ガ之ニ因リテ二重ノ利益ヲ受クルガ如キ結果ヲ生ズルコトナシ。然レバ則チ、被上告人ガ引受人ニ対シ百円ノ債権ヲ有スルニ拘ハラズ、尚原債務者ニ対スル競売事件ニ付右同一ノ債権ニ基キ配当要求ヲ為シタルハ、固ヨリ相当ニシテ何等ノ不法アルコトナシ」（大判大八・六・二五民録二五・一一三九）。

この原則の具体的適用と考えられる事件として、次のようなものがある。

（イ）原債務者が限定相続した場合　前出【21】は、甲が相続によつて承継したばかりの債務について乙の併存的債務引受が行われ、ついで甲が限定承認をした場合に関し、乙の責任までが限定承認の影響で甲の相続財産に限定されるようになるものではない旨を、判示する。本判決は、すでに述べたような内容（三一・三二頁）も含むが、むしろ、甲の債務と乙の債務とは「併立シテ存在スルモノ」であつて、その責任の範囲が同一である必要はないことを判示する点において、重要である。それは、また、債務と責任との区別を前提するものとしても、興味がある。

本判決の結果、甲乙間に求償関係が約束されている場合には、求償によつて甲が限定承認の利益を実際上失うことになろうが、甲としてそのような約束をした以上、やむをえないことだといわなければならない（穂積・判民大正一三年四四事件評釈参照）。

（ロ）併存的債務引受は、その機能においては保証と類似するが、原債務と引受人の債務との間には、主債務と保証債務の間に見られるような補充性は存しない。したがつて、保証人に与えられる抗弁権は引受人には否定される（いわゆる検索の抗弁権に関し【49】）。保証人が主債務者との契約で自己の責任で債務を支払うべき旨を約した場合も、判例は保証債務の補充性（催告の抗弁権）を失うものとするから【50】、併存的債務引受と同じ事態が発生することになる。

【49】「所謂添加的債務ノ引受ハ、之ニ因リテ他人間ニ成立セル債権関係ニ於ケルト同一給付ヲ目的トスル債権関係ヲ成立セシムルモノナリト雖、他人ノ債務ト引受債務トノ間ニ従属関係ヲ生ゼシムルコトナク、主債

務ノ履行ナキ場合ニ於テ其ノ履行ノ責ヲ負担スル保証債務ト其ノ性質ヲ異ニスルガ故ニ、保証債務ニ関スル規定ノ凡テヲ引受債務ニ適用スルヲ得ズ。所謂先訴ノ抗弁ニ関スル規定ノ如キハ其ノ性質上引受債務ニ適用スベキニ非ズ」（朝高判昭一〇・一〇・二九新報四三〇・二二）。

【50】 保証人Yが主債務者Aとの間でYだけの責任で支払うべき旨の契約をした。債権者XがYを訴求。Yは催告の抗弁を提出。原審は、右のような事実があっても保証人は催告の抗弁権を失うものではない、と判示。X上告。

「法律ガ保証人ニ催告ノ抗弁権ヲ賦与シタルハ、全ク保証債務ノ補充的債務タル性質ニ鑑ミ保証人ヲ保護セントスルノ趣旨ニ外ナラザルガ故ニ、苟クモ右保証人タルYニ於テ主債務者トノ間ニ前条ノ如キ契約ヲ締結セル事実アリトセンカ、已ニ叙上ノ補充性ヲ認容シ得ザルモノト解スベク、従テ右ノ如キ事情ノ下ニ於テ尚且Xノ本訴請求ニ対シ催告ノ抗弁ヲ提出シ以テ之ガ履行ヲ拒絶セントスルガ如キハ、法ガ保証債務ニ付催告ノ抗弁権ヲ認メタル本旨ニ副ハ」ず（大判昭九・三・二四裁判例〔八〕七一）。

（ハ） 合資会社の無限責任社員が個人として会社の債務を引受けた場合　合資会社の清算中その無限責任社員が個人として会社の債務を引受けた場合には、たとえ会社財産でその債務を弁済しうる可能性がある場合でも、債権者はただちに引受人を訴求することができる（無限責任社員としての責任なら、会社財産で完済しえない場合に限る、商一四七・八〇）、とする判決（下級審）【51】がある。引受人の債務は付従的のものでないから、当然のことである。

【51】「控訴人ハ、会社財産ハ其債務ヲ完済スルモ尚余剰アリテ、解散後清算人ニ於テ会社債権ヲ取立テ其債務ヲ弁済シツツアルヲ以テ、控訴人ニ本件債務支払ノ義務ナシト抗争スレドモ、本件債権ハ前段認定ノ如ク控訴人ガ前記会社ノ被控訴人ニ対シ負担スル無尽金債務ノ引受契約ニ基キ之ガ履行ヲ訴求スルモノニシテ、敢テ控訴人ガ同会社ノ無限責任社員タル資格ニ基キ会社債務ノ支払ヲ訴求スルモノニアラザルガ故ニ、会社財産ノ存否若クハ其支払能力ノ有無ト何等ノ交渉ナシ」（東京控判大一三・六・一二新聞二二八一・二一、評論一三商三二一）。

（二）　引受人が後順位抵当権者であった場合　後順位抵当権者が先順位抵当権者の債権につき併存的債務引受をした場合、後者は民法三七四条の制限によらず元利金全部について権利を行うことができる、とされるのも【52】（下級審）、引受人が債務者と対等の立場で債務を負担している以上当然のことである。

【52】　YはAに対する債権につきA所有の土地に一番抵当権を取得した。その後Xは右土地の第三取得者Bに対して債権を取得し、二番抵当権を設定させたが、Bの依頼で、AのYに対する債務につき併存的債務引受をした。Yが抵当権を実行し、民法三七四条の制限を越えて配当を受けたので、Xから不当利得として返還を請求する。

「債権者トノ間ニ重畳的債務ノ引受ヲ為シ新ニ債務者ト為リタル者ハ、爾後旧債務者ト連帯シテ債権者ニ対シ其債務ノ履行ヲ為スベキモノト解スルヲ相当トス……抵当権者ハ抵当権設定者ニ対スル関係ニ於テハ民法第三七四条ノ制限ニ依ルコトナク其元利金全部ニ付其権利ヲ行フコトヲ得ベキヲ以テ、Yノ右配当金ノ受領ハ訴外Aニ対スル関係ニ於テハ何等不当ノ点ナク、之ニ因リAノYニ対スル債務ハ完済セラレ、従ッテXノYニ対スル前記引受債務モ亦消滅シタルモノト謂ハザルヲ得ズ。左レバYノ前記過剰金ノ受領ハ法律上ノ原因ナクシテ不当ニ利得シタルモノニアラズ。Xモ亦Yノ右過剰配当金ノ受領ニ因リ其範囲ニ於テ自己ノ債務ヲ免レタルモノナレバ、之ニ因リ損失ヲ蒙リタルコトナキモノト謂ハザルベカラズ」（東京控判昭一〇・四・一九新聞三八五一・七、評論二四諸法五一八）。

(3)　併存的債務引受によって連帯債務を生ずる場合には、民法の連帯債務に関する規定が適用されることになる。たとえば、原債務者のために時効が完成すれば、その債務者の負担部分については引受人も債務を免れ【45】（民四三九条）、債権者の一方債務者に対する裁判上の請求は他方の債務について時効中断の効果を生じ【46】(民四三四条)、債務引受人が弁済すれば、「弁済ヲ為スニ付キ正当ナ利益ヲ有スル者」の弁済として法定代位を生じ【53】(民五〇〇条)、また、原債務者の保証人が弁済した場合には、債務引受人に対しその負担部分について求償することができる【42】(民四六四条)。

【53】「X先代ハ、Aニ対スル債務ヲ弁済スベキコトヲYニ対シ約シタルモノニシテ、此契約ニヨリX先代ハYニ対シAノ債務ト異ナリタル独立ノ債務ヲ負担セルモノニ非ズ、同人ノ債務ト同一ノ債務ヲ負担セルモノニシテ、且ツ此契約ニヨリAノ債務ニ何等ノ影響ナク同人モ共ニ債務ヲ負担スベキコトハ……明ナレバ、此契約ハY主張ノ如ク所謂重畳的債務引受ノ一場合ニ該当スベシト雖モ、之ガ為メニY主張ノ如ク其引受人タルX先代ガ弁済ヲ為スモ債権者ヲ代位スルコトヲ得ザルモノト為ス能ハズ。……Yノ三番抵当権ヲ弁済シタル部分ニ付テハ、X先代ハ其ノ次順位ノ抵当債権者トシテ、又重畳的債務ヲ約シタル引受人トシテ弁済ヲ為スニ付キ正当ノ利益ヲ有スルモノナルガ故ニ、当然Yニ代位シタルモノト謂ハザル可カラズ」(大阪地判大五・九・一一五評論五民九一二)。

㈢　債権譲渡後に新債権者に対して債務を引受けた者の地位　　AからBに債権譲渡が行われて、債務者Cの承諾はあつたが、その承諾が確定日附のある証書でなされなかつたために、「債務者」には対抗しうるが「債務者以外ノ第三者」に対抗することができない(民四六七条参照)、という状態にあるときに新債権者との契約で重畳的債務引受を行つた者(Y)は、新債権者に第三者の弁済をして債権者に代位した者(X)の請求を拒否することができるか。次の判決【54】は、Yは「債務者」であつて「債務者以外ノ第三者」に該当しないから、債権譲渡を否定することはできない、としてXの請求を認めている。だが、正確には、債務引受契約によつてXはBに対するCの債務について債務引受をしたのであるから、そのBに対する弁済が問題となつているこの事案では、引受以前に行われたAB間の債権譲渡は問題とする余地がない、というべきであろう（我妻・判民昭和八年一〇七事件評釈―もっとも、我妻教授は判旨自体をもこのような趣旨に解しておられる）。

【54】「原判決ヲ観ルニ、Cニ対シテAノ有セル係争債権ガ同人ヨリBニ譲渡セラレタル当時、既ニCハ其ノ譲渡ヲ承諾シタルノミナラズ、Yモ亦右ノ譲渡後譲受人タルBトノ間ニ重畳的債務引受ヲナシ同一債務ニ付返済義務ヲ負担スルニ至リタル関係ニ在ルコトハ、原審確定ノ事実ナリトス。従テ、Yハ該貸借関係ニ於テハ畢竟債務者タルニ外ナラズシテ、民法第四六七条第二項ニ所謂債務者以外ノ第三者ニ該当セザルガ故ニ、叙上ノ譲渡ヲ以テYニ対抗シ得ベキハ勿論ナリト云フベク、縦令其ノ譲渡ニ関スルCノ承諾ガ確定日附アル証書ヲ以テ為サレタルニアラズトスルモ、Yニ於テ斯ル理由ノ下ニ該譲渡ヲ否定シ得ベキニアラザルヤ、言ヲ俟タズ」（大判昭八・六・二〇民集一二・一五二八）。

三　履行の引受

一　履行の引受の観念

（一）　併存的債務引受との区別・関係　履行（または弁済）の引受（Erfüllungsübernahme）の観念については、多少問題がないではない。引受人が債権者に対して履行すべき義務を負わず、債務者に対してのみその債務を債権者に履行すべき義務を負担する場合が、これに含まれることには異論がないが、右のような履行の引受とともに債権者が直接引受人に対して債権を取得する場合までも、履行の引受の観念に含まれるか否かが、問題になるのである。前出【31】ないし【34】あるいは【36】の判決、すなわち、債務者と引受人との間で履行の引受がなされた場合に、当事者が第三者たる債権者に権利を取得させる意思なら、「第三者のためにする契約」が認められる、とする諸判決においては、このような「第三者のためにする契約」の成立する場合を『履行の引受』と考えているのか、それとも『併存的債務引受』と考えているのかは、まだ明らかでない。だが、前出【37】などは、「履行ノ引受契約ハ民法第五三七条所定ノ第三者ノ利益ノ為ニスル契約ニ外ナラ」ず、としており、すでに指摘したように、履行引受契約があればつねに第三者のためにする契約が成立するかのような表現に問題があるにせよ、ともかく、第三者のためにする契約が成立する場合をも『履行の引受』と考えていることを示すものといえよう。しかし、他方、前出【35】は「履行ノ引受トハ……引受人及債務者間ノ契約ニ過ギズシテ、該契約ニ因リ第三者タル債権者ガ直接引受人ニ対シ之ガ履行ノ請求権ヲ取得スルモノニ非ズ」とし、また次の【55】も、「契約当事者ガ第三者ヲシテ権利ヲ取得セシムル意思ナクシテ単ニ其ノ一方ガ相手方ノ第三者ニ対スル債務ノ履行ヲ為スベキコトヲ約シタルニ止ルトキ」を「所謂履行ノ引受」と称して、第三者のためにする契約の成立する場合から『履行の引受』を区別する態度を見せており、さらに、【56】も、弁済の引受とは「引受者ヲシテ既存ノ債務関係外ニ立ツ第三者ノ地位ニ於テ債務者ノ債務ヲ弁済スルノ義務ヲ負ハシムル」ものだとし、しかも、具体的事案の判定において、問題の引受契約が「純然タル内部契約」であることを根拠として、第三者のためにする契約ないし債務の引受ではなく『弁済の引受』であると認定しているのである。したがって、判例は大勢としては両者を区別するものといってよいであろう。

【55】　AがXに対して負担する材木代金債務を原因とする準消費貸借上の債務の一部について、Yがその債務の支払をなすべき旨の契約を、AY間で結んだ。Xは、それを第三者のためにする契約であると主張し、そ

の一理由として、もしXにYから弁済を受ける権利がないとすると、AがYに対し、弁済を受ける権利のないXに支払うべきことを訴求することになつて、民事訴訟の手続上も許されない、と主張した。

「契約当事者ガ第三者ヲシテ権利ヲ取得セシムル意思ナクシテ単ニ其ノ一方ガ相手方ノ第三者ニ対スル債務ノ履行ヲ為スベキコトヲ約シタルニ止ルトキ（所謂履行ノ引受）ハ、其ノ契約ノ効力ハ当事者間ノミニ発生シ第三者ニ効力ヲ及ボスベキモノニ非ザルガ故ニ、第三者ガ受益ノ意思表示ヲ為スモ之ニ因リテ第三者ハ当事者ノ一方ニ対シ直接ニ給付ヲ請求スル権利ヲ取得スルモノニ非ズ。従テ本件ノ如キ場合ニ於テモ第三者タルXニ右ノ如キ権利ヲ取得セシムルモノナリトスル所論ハ、結局当該約旨ニ関スル原審事実上ノ認定ヲ非難スルモノニ帰シ採用ノ限リニアラズ。又本件ノ場合ニ於テAハYニ対シ第三者タルXニ支払ヲ為スベキコトヲ訴求シ勝訴ノ判決ヲ得タルトキハ一般金銭債権ノ執行ニ関スル規定ヲ準用シ、Yノ財産ニ対シ差押ヲ為シ其ノ差押金銭又ハ売得金ヲ第三者ニ引渡シ以テ右判決ノ執行ヲ為シ得ルガ故ニ（当院昭和四年（オ）六一一号同年九月二六日言渡判決）民事訴訟上ノ保護ニ欠クル所アリト為ス所論モ亦採用スベカラズ」（大判昭一一・一・二八新聞三九五六・一一、評論二五民二一六）。

【56】　【37】と被告を同じうする事件。原審は、Aの営業（銀行業）上の債務はY銀行で弁済すべき旨の内部契約の成立したことは認めたが、Aの営業上の債権者Xは直接Yに対して債権を行使しうる地位を獲得したとはいえない、としてXを敗訴させたので、X上告し、そのような内部契約がAY間に成立すれば第三者のためにする契約で、Xは受益の意思表示によつて直接請求しうる地位を取得する、と主張した。

「契約ニ依リ当事者ノ一方ガ相手方ノ債務ヲ其債権者ニ弁済スベキ義務ヲ負担スルハ、所謂弁済ノ引受ニ過ギズシテ、債務ノ引受ヲ以テ論ズ可ラズ。何トナレバ弁済ノ引受ト債務ノ引受トハ各別個ノ法律行為ニ属シ、前者ハ引受者ヲシテ既存ノ債務関係外ニ立ツ第三者ノ地位ニ於テ債務者ノ債務ヲ弁済スルノ義務ヲ負ハシムルニ反シ、後者ハ引受者ヲシテ既存ノ債務関係ニ入ラシメ其債務者トシテ弁済義務ヲ負ハシムレバナリ。原判決ガAトY銀行トノ間ニ成立シタルヤモ知レズト云フ所ノ契約、即Y銀行ガAノ営業上ノ債務ヲ弁済スベキ旨ノ契約ハ、之ヲ純然タル内部契約ナリト云ヘルニ見レバ、債権者ニ対シ直接ノ弁済義務ヲ負ハザル合意ノ下ニ為シタル弁済引受契約ナリト解スベキヲ以テ、之ヲ民法第五三七条ノ規定スル第三者ノ為メニスル契約ト同視スルヲ得ザルノミナラズ、其点ハ之ヲ孰レニ決スルモ、弁済ノ引受タル範囲ヲ出デズシテ、債務ノ引受ヲ以テ論ズ可ラズ」（大判大八・二・二五民録二五・二二八六）。

学者のなかには、【37】と同じように、『債権者のためにする履行引受』ないし『債権者に直接請求権を与えることを目的とする履行の引受』（Erfüllungsübernahme zu Gläubigerrecht od. berechtigende Erfüllungsübernahme）の観念を認めて、併存的債務引受から区別しようとするものも見られる（勝本「履行の引受」法律学辞典二七一三頁、林信雄「債務の引受について」民商九巻二号二二四―五頁。ドイツの学説については末川・一二一頁）。しかし、右の場合は履行の引受と併存的債務引受の結合と解すべきであつて、履行の引受の一態様と考えるべきではない（履行引受はいわゆる不真正第三者のためにする契約にすぎない）。

両者はかように区別されるべき概念であるが、それだからといつて両者の競合が妨げられるわけではなく、債務者と引受人との契約で併存的債務引受が成立する場合には、通常、その内部関係として履行引受も競合しているのである。判例がどのような場合に履行の引受のみが成立すると考え、どのような場合に両者の競合を認めているか、に関しては、すでに述べた（四三頁(ロ)）。

(二)　免責的債務引受との区別・関係　履行の引受は免責的債務引受とはかなり縁が遠い。両者はまず次のように重要な二点において異る。第一に、前者では債務者は依然として債務者であるのに対し、後者では従来の債務者は債務関係から脱退する。第二に、引受人に対して弁済すべきことを請求する権利を取得するのは、前者では債務者であるのに対し、後者では債権者である。しかも、履行の引受は、併存的債務引受とは、その内部関係としてほとんどつねにそれと結合するという緊密な関係にあるのに、免責的債務引受とは結びつかないのである。なぜなら、免責的債務引受によつて従来の債務者が債務関係から脱退する以上、内部関係においても引受人に免責の義務を課することはもはや無意味となるからである。したがつて、履行の引受を債権者が承認して引受人に対して直接債権を取得した場合は、免責的債務引受ではない（二三頁(b)参照）。

二 履行の引受の要件

履行の引受は、債務者と第三者（引受人）とが、後者が前者に免責を得させる旨を約することによつて、成立する。それが有効に成立するためには、「債務ノ性質上」第三者の弁済が許されない場合または第三者の弁済に対して「当事者（債権者債務者）ガ反対ノ意思ヲ表示シタ」場合でないこと（民四七四条）を、要する。後出【57】は傍論ながらこの趣旨を述べている。

三 履行の引受の効果

履行の引受があれば、引受人はなんらかの方法によつて債務者を免責させるべき義務を、債務者に対して負担する。引受人が履行しない場合には、債務者は引受人を相手として、債権者に給付すべき旨を訴求することができ、勝訴判決をえた上で、金銭債務の場合なら、一般金銭債権の執行に関する規定を準用して、引受人の財産に差押をなし、その差押金銭または売得金を第三者に引渡して判決を執行することができるものとされ（前出【55】）、また、引受人が免責方法を講じないために債務者自身が弁済した場合には、引受人は債務不履行に基く損害賠償債務を負うことになる【57】。

【57】 X（種馬区取締役）がY（種馬区）のためにA村に対して負担した債務を、Yが弁済すべきことをX

に約した。しかるにYが履行しないために、XがAに履行し、Yに対し債務不履行に基く損害賠償を請求した。原審は、Xは自分の債務を履行したにすぎないから、その受けた損害はYの債務不履行と因果関係がない、としてXの請求をしりぞけた。X上告。

「債務ノ弁済ハ債務ノ性質之ヲ許サザルカ又ハ当事者カ反対ノ意思ヲ表示シタル場合ニ在ラザル限リハ、第三者之ヲ為スコトヲ妨ゲルヲ以テ、債務者ニ対シテ予メ第三者ガ其債務ヲ弁済スベキ旨ヲ契約シタル場合ニ於テハ其契約ノ有効ナルノミナラズ、第三者ガ其約旨ニ基キ弁済ヲ為ストキハ債務者ノ債権者ニ対スル債務ハ因リテ以テ消滅スベキコト固ヨリ論ヲ待タズ。然レバ則チ、本訴ニ於テ若シ当事者間ニ前掲Xノ主張シタル如キ契約存在シ而シテYガ其契約ニ遵由シテXノ為メニA村ニ弁済ヲ為シタルモノトセンカ、Xハ当然A村ニ対シテ債務ヲ免ルベキコト明ナレバ、XガA村ニ債務ノ弁済ヲ為スニ至リタルハ、其両者間ノ債務関係ヨリ当然生ジタル結果タルコト勿論ナリト雖モ、XトYトノ間ニ存シタル契約関係ヨリ之ヲ言ヘバ、Yノ不履行ニ因リタルニ外ナラズ。即チXノ弁済トYノ債務不履行トハ因果ノ関係アルモノト謂ハザルヲ得ズ。由是之ヲ観レバ、原院ガ当事者間ニ果シテXノ主張スル如キ契約関係存スルヤ否ノ事実ヲ確定セズ、漫然XトA村トノ債務関係アリシガ故ニ、Xノ弁済ハ其債務ノ履行ヲ為シタルニ外ナラズシテ、Yノ債務不履行ト因果ノ関係ナシ、ト判示シタルハ、理由ヲ付セザル不法アル裁判ナリト謂ハザルヲ得ズ」（大判明四〇・一二・二四民録一三・一二二九）。

四　契約の引受

69 ### 一　契約の引受の観念

契約（とくに双務契約）の当事者たる地位（たとえば買主の地位・賃貸人の地位）の承継を目的とする契約を契約引受（Vertragsübernahme）と呼ぶ。それは、契約から生ずる個々の債権・債務のみならず契約当事者たる地位自体をも含めて包括的に移転させることを目的とするもので、契約当事者しか有しえない解除権や取消権をも譲受人に移転させる効果をもっている点で、単なる債権譲渡や債務引受とは別箇のものとして取扱う必要がある。

二　契約の引受の要件

(一)　当事者の問題

ここでも、問題なのは当事者である。判例は、契約上の地位の譲渡人・譲受人のほかに原契約の相手方(とくに債権者の資格において問題となる)がいかなる形で参加すべきかを問題とし、近時の傾向としては、大体において、地位の譲渡契約に対して付随的に原契約の債権者の同意(承認)が加わればよいとするもののようである(学者のなかには、買主の地位の譲渡や請負契約上の地位の譲渡については判例は三面契約的構成に立つと理解する者もある、於保・三〇八頁註(一二))。しかし、判例の動きは、売買契約当事者の地位の譲渡の場合、賃貸人の地位の譲渡の場合、譲渡担保の担保権者の地位の譲渡の場合、あるいは、とくに営業譲渡に双務契約上の地位の譲渡が含まれる場合などで、幾分異るものがあるので、場合を分けてみていくことにしよう。

(1)　売買契約または類似の契約の引受の場合　　前出【2】の大審院判決(大正四年二)は、売買契約の買主が買主の権利一切を第三者に譲渡し、かつ両者間で代金債務引受もしたが、売主＝代金債権者の承認のない場合に関し、「原判決ガ……債務ノ引受ヲシテ法律上有効ナラシムルニハ、独リ譲渡人……ト譲受人……ト契約ヲ以テ足レリトセズ、必ズヤ更ニ其ノ債権契約ノ相手方……ノ同意ヲ要スルモノト為シタルハ相当」としながら、自らは、「第三者ガ代金支払債務ノ引受ヲ為スニハ債権者タル売主トノ間ニ之ガ契約ヲ締結スルコトヲ必要トス」と判示するものであつた。本判決は、契約の引受からとくに債務の引受だけを抽出して、原契約の相手方（債権者）の関与の仕方を問題とするが、少なくとも売買契約の引受の効力に関しては、かようにそれを債務の引受の効力の問題に還元するのが、判例の態度なのである。それでは、本判決は契約の引受―債務の引受の当事者についてどのようなことを要求しているのであろうか。この判決は、債務引受をもつて本来債権者と引受人との間の契約とするものだから、新旧両債務者間の契約による債務引受を認めないもののように見える。だが、債務者と引受人との契約に債権者の同意が加わらなければならないとする原審判決を是認する態度を示しているのは、――それは、本件の債務引受を無効とすることには差異を来さないという事情によるのかも知れないが――かならずしも三面契約を固執する趣旨ではないとも考えられる（乾・判民大正一四年一一五事件評釈も、本判決は三面契約を要する趣旨か、債権者の同意があればよいとする趣旨か不明確である、としている）。

また、次に掲げる昭和二年の大審院判決【58】が、石炭供給契約の売主の地位を三面契約で譲渡した場合に関し、「売買当事者及第三者間ノ契約ヲ以テ売主ノ有スル契約上ノ権利義務ヲ第三者ヲシテ承継セシムルコトハ固ヨリ有効ニシテ」といつているのを捉えて、学者のなかには、あたかも、契約引受が三面契約によらなければならないことを意味するかのように解する者がある（末弘・一四八頁註八、柚木・〔六二三〕b）。しかしながら、本判決は、三面契約をもつて債務引受のなされた場合に関するものであり、判文も「固ヨリ有効ニシテ」と述べているところから見て、つねに三面契約で行うことを要求する趣旨のものと解することはできない。

【58】　Aは石炭商Bとの間に代金支払期限三ヵ月取引極度金八千円とする石炭売買契約（いわゆる供給契約である）を締結し、Xは保証人となるほか、物上保証人となつて根抵当を設定した。後、ABCの合意でCが売主Bの地位を承継し、抵当権の移転登記もした。Cは石炭を供給してAに対して代金債権を取得し、抵当権とともにYに譲渡、YはA不履行のため抵当権を実行し自ら競落人となつた。XはYに対し競売の無効を主張し訴を起した。X敗訴し、上告していうには、根抵当権はBが石炭を供給した場合に生ずべき将来の代金債務を担保するもので、Cの供給したものに及ばない、また、契約上の地位の承継は、将来債権債務が成立したとき原契約者が一旦債権者・債務者となるものである、原審判決はこれらの点について判断を与えていない、と。

「前示ノ如キ売買契約ニ於テ売買当事者及第三者間ノ契約ヲ以テ売主ノ有スル契約上ノ権利義務ヲ第三者ヲシテ承継セシムルコトハ固ヨリ有効ニシテ、斯ノ如キ場合ニ於テハ、第三者ハ、売主タル地位ヲ取得シ買主ニ対シ直接ニ売買ノ目的物ヲ給付スル義務ヲ負フト同時ニ、代金ノ支払ヲ受クル権利ヲ取得シ得ルモノト謂フベク、所論ノ如ク叙上ノ売主タル地位ノ承継アリタル場合ニ於テハ、将来ノ債権ノ譲渡又ハ将来ノ債務ノ引受アリタルモノニシテ将来債権債務ガ成立シタルトキ譲渡人又ハ被引受人ハ夫々一旦債権者又ハ債務者ト為リ之レト同時ニ直ニ譲受人又ハ引受人ガ其ノ権利義務ヲ承継スベキモノト謂フヲ得ザルナリ」（大判昭二・一二・一六民集六・七〇六（判民同年一〇八事件末弘)）。

やがて昭和五年には、売買契約の買主の権利が譲渡されただけでは解除権を発生しないという趣旨の大審院判決【59】において、買主の地位の移転は、買主が代金支払債務を負担する以上、売主の『同意』を必要とする旨が、判示されるに至つた。もつとも、それが売主の同意を付随的なものとするのか、それとも三面契約を要求する趣旨なのかは不明であるうえに、この部分は傍論にすぎない。

【59】「売買契約ニ基ク買主ノ権利ガ第三者ニ譲渡セラルルモ、代金支払ノ債務ハ其ノ第三者ガ適法ナル債務

ノ引受ヲ為サザル限リ依然トシテ買主ニ残存スベキガ故ニ、買主ノ権利ノ譲渡ハ之ヲ売買契約ノ当事者タル買主ノ地位ノ移転ト同視スルヲ得ザルハ勿論ナルノミナラズ、買主が相手方ニ対シ代金支払ノ債務ヲ負フ以上ハ、売買契約ノ当事者タル買主ノ地位ハ右相手方ノ同意アルニ非ザレバ之ヲ第三者ニ移転スルヲ得ザルコト言ヲ俟タズ。然ラバ、買主ノ地位ノ移転ヲ債権ノ譲渡ニ外ナラズトシ譲渡人ト譲受人トノ契約ニ依リ右地位ノ移転ヲ生ズルモノトスル所論ハ、理由ナキノミナラズ、抑解除権ハ債権契約ヲシテ初メヨリ存在セザリシト同一ノ効果ヲ生ゼシムルコトヲ目的トスル権利ナルガ故ニ、売買契約ノ解除権ハ該契約ノ当事者又ハ其ノ当事者タル地位ヲ承継シタル者ニ於テノミ之ヲ有シ得ベク、買主ノ権利ノミノ譲受人ハ当然ニ解除権ヲ譲受クルモノニ非ザルコトハ当院ノ判例トスル所ナリ（大正一四年（オ）第一〇二三号同年一二月一五日判決参照）」（大判昭五・三・二九評論一九民五二）。

最近の最高裁判決にも、この問題に関するものがある【60】。――もっとも、本件で問題となつた原契約は、甲所有の土地に乙が埋立工事を施し、分譲による売却代金から坪五百円の割合の金員を甲に支払えば、甲は直接買受人に登記をするという趣旨のもので、単純な売買契約でない。しかし、最高裁が問題とした焦点は、乙が甲に対し坪五百円の割合の金員を支払う義務を負担している点にあるから、本判決は売買契約の引受に関するものに準じて考えてよいとおもわれる。

【60】　ＹはＡとの間にＹ所有の土地について次のような契約を結んだ。それは、Ａがまず土地の埋立工事をして適当な宅地とし、第三者に分譲し、その売却代金から坪当り五百円の割合の金をＹに支払えば、Ｙは直接買受人に所有権移転登記をする、という内容のものであつた。Ａからこの契約に基く一切の権利を譲受けたＸが、Ｙに対し契約の確認を求めた事件。原審は、埋立工事をすることおよび代金支払はＹに対する義務であり、本件のＡＸ間の行為は契約上の権利義務一切の包括的譲渡と認められるから、Ｙの承諾なしには行いえないと

し、Xを敗訴させた。X上告し、Aが埋立工事をするのはその義務ではなく権利である、と主張した。

「原判決は『本件契約は右Aの埋立工事施行及び坪当五百円の割合の金員の支払義務と、Y等の目的物件の引渡及び登記手続とは双務契約の関係にあることが認められる』と判示している。そして『本訴の請求は……右Aの本件契約上の地位即ち本件双務契約上の権利義務一切を包括して譲渡けたと主張してその確認を求めているもの』とした。それ故、埋立工事の義務がAにあるかどうかの問題をしばらく措くも、Aは坪五百円の割合の金員の支払義務を有することは明らかであるから、原判決が前記のように契約上の地位及至権利義務一切の包括譲渡については、債権者であるYらの承諾なくしては同人等に対して効力を有しない旨を判示して、Xの請求を認めなかつたことは、結局正当である」（最判昭三〇・九・二九民集九・一〇・一四七二）。

この最高裁判決は、「契約上の地位乃至権利義務一切の包括譲渡については、債権者であるYらの承諾なくしては同人等に対して効力を有しない旨」を判示する原審判決を支持している点、三面契約を要求するものではないということができよう。ただ、本件は、債権者の契約への参加はむろんのことその承認さえなく、いずれにしても契約の引受の認められない場合であるから、この判旨の部分をもつて ratio decidendi とすることはできないであろう。しかし、裁判所が、少なくとも理論としては、債務の引受したがつて契約の引受は譲渡当事者の合意で成立し、ただ債権者に対して効力を有するために債権者の承認（同意）を必要とする、という立場に転換したことは、もはや疑いないとおもう。

(2)　賃貸人の地位の引受の場合　賃貸人が賃借物の所有権を第三者に譲渡するとともに賃貸借関係をも承認させることは、しばしば見られる現象だが、この場合の承継はどのような条件のもとに認められるであろうか。判例は、三面契約を要求せず、ただ譲渡当事者の契約に賃借人の承認が付随的に加わることを要求する立場にあるといえよう。もつとも、古いものには、その賃借人の承認さえも不要とする見解を採る判決も見られるが、その事案に即して考えると、それは価値ある判例とはいえないし、また実際上も先例としての役割を果たさずに終つている。

賃借人の承認不要とするのは、大正四年の大審院判決【61】である。たしかに、本判決は「賃借人ノ承諾ヲ経ルコトヲ要セズシテ新所有者ハ旧所有者ノ権利義務ヲ承継スル」といつている。しかし、かような判旨が真に ratio decidendi となるには、賃借人の承認を経ないにもかかわらず、引受人が賃借人の不利益において賃貸借を主張しうることを認めたものでなければならない。しかるに、本判決は、引受人の方から賃借人に明渡を請求し、賃借人は引受人に対する賃借権の対抗を主張する事案に関するものであつて、以上のような場合に関するものではない。しかも、後出【63】の大審院判決によれば、賃借人が賃貸借の存在を主張することは賃貸借関係の承継に対する承認になるのであつてみれば、本件はまさに賃借人の承認のあつた場合に関することになる。したがつて、本判決をもつて、賃借人の承認を不要とする判例として理解することは、具体的事案に即して考えるかぎり、ますます困難だといわなければならない。もつとも、本判決は、賃借人が賃貸借を否認する場合に引受人から対抗しうるかの問題に関連しても、「賃借人ガ旧所有者ニ対スル新所有者ノ契約ヲ否認スルニ於テハ却テ賃貸借契約ヲ締結シタル所以ノ目的ト全然背馳スルノ結果ヲ生ズル」ことを指摘してはいるが、この部分が傍論的意味しかもちえないことは、いうまでもない。

【61】 土地の賃貸人Aが土地をXに譲渡し、AX間に、Xが賃貸借を承継する旨の契約が成立した。しかるに

Xは Yに建物の収去を請求。原審は、賃貸借契約の債務者たるAがその契約をXに承継させる契約は、債権者たるYが参加しなければ成立しないから、Yは賃借権をXに対抗しえない、として、Xを勝たせたので、Y上告。

「不動産ノ所有者ガ賃貸借ノ目的タル不動産ヲ他人ニ譲渡シタル場合ニ於テ、新所有者ガ従来存セル賃貸借ノ存続ヲ欲セザルトキハ、旧所有者ハ賃借人ニ対シテ負担スル所ノ債務ヲ履行スルコト能ハザルニ至リ賃借人ニ不利ナル結果ヲ生ズルヲ以テ、賃貸借ノ目的タル不動産ヲ譲渡スルニ際シテハ、旧所有者ハ常ニ必ズ新所有者ト賃借人トノ間ニ於テ同一内容ヲ有スル賃貸借関係ノ存続ヲ可能ナラシムベキ手段方法ヲ講ズルコトヲ要シ、此要求ヲ充タス為ノ最善ノ方法ハ、新所有者ヲシテ賃貸人トシテノ旧所有者ノ地位即チ賃貸借契約当事者トシテノ権利義務ヲ包括的ニ承継セシムルニ在ルハ、毫モ疑ヲ容レズ。而シテ新所有者ガ賃借人ニ対シテ旧所有者ノ権利義務ヲ承継スベキコトヲ約シタルトキハ、旧所有者ノ介入ヲ要セズシテ新所有者ト賃借人トノ間ニ於テ同一内容ヲ有スル賃貸借ノ存続スベキコトハ勿論ニシテ、新所有者ガ旧所有者ニ対シテ其権利義務ヲ承継スベキコトヲ約シタル場合ニ於テモ、特ニ賃借人ノ承諾ヲ経ルコトヲ要セズシテ、新所有者ハ旧所有者ノ権利義務ヲ承継シ、賃借人ハ新所有者ニ対シテ賃貸借関係ノ存続ヲ主張シ其義務ノ履行ヲ新所有者ニ要求スルコトヲ得ベク、新所有者ハ賃借人ガ其契約ニ干与セザリシヲ理由トシテ賃借人ノ要求ヲ拒ムコトヲ得ズ。蓋シ当事者ノ意思表示ニ因ル債務ノ移転即チ所謂債務ノ引受ニ付テハ債権者ノ承諾ヲ要スルハ法理上ノ原則ナルヲ以テ、不動産ノ賃貸人ガ自己ノ債務ヲ其権利ト共ニ新所有者ニ移転スルニハ債権者タル賃借人ノ同意ヲ要シ、賃貸人タル旧所有者ト新所有者間ノ契約ヲ以テシテハ此効果ヲ生ズルコトヲ得ザルモノト論ズルハ理由アルニ似タリト雖モ、不動産ノ賃借人ガ所有者ノ更迭ヲ拒否スル権利ヲ有セザルノ結果新所有者ヲシテ旧所有者ノ権利義務ヲ承継セシムルニ因リテノミ賃貸借契約ノ目的ヲ達スルコトヲ得ベク、賃借人ガ旧所有者ニ対スル新所有者ノ契約ヲ否認スルニ於テハ却テ賃貸借契約ヲ締結シタル所以ノ目的ト全然背馳スルノ結果ヲ生ズルモノトセバ、新所有者ガ賃貸人トシテノ旧所有者ノ権利義務ヲ承継スルコトハ、特ニ賃借人ノ承諾ヲ要セズシテ、旧所有者ト新所有者間ノ契約ヲ以テ之ヲ為スコトヲ得ベク、此種ノ契約ハ常ニ賃借人ノ利益ニ於テ其効ヲ生ジ、賃借人ガ其契約ニ介入スルト否トハ其利益ヲ主張スル賃借人ノ権利ニ何等ノ影響ヲ及ボサザルモノト断定セザルヲ得ズ。従テ債務ノ引受ニ関スル普通ノ原則ハ此ノ場合ニ適用スルコトヲ得ズ」(大判大四・四・二四民録二一・五八〇)。

次に、大正六年の大審院判決【62】は、右の判決で傍論的に述べられた場合がまさに問題となつたものである。すなわち、それは、引受人が賃貸借期間満了による明渡を請求した場合に賃借人が賃借関係の承継を争う事件に関するものなのである。この判決では、しかし、大審院は、右の判決とは異つて、賃借人の承認があれば賃貸借の承継も可能である旨を述べて、賃貸人の請求を認めた。それでは、これによつて、賃借人の承認必要という理論が ratio decidendi として認められたかといえば、これもそうとはいいきれないのである。なぜなら、本件は賃借人の承認がある場合であるが、承認を必要とする判旨が真に ratio decidendi であるためには、賃貸借関係の承継を前提とする引受人の請求に対して、賃借人が引受人の賃貸借承継を争う場合に、賃借人の承認のないことを理由として賃貸借承継の効力を否定するものでなければならないからである。

【62】　AはYに土地を賃貸し、後土地と賃貸人の地位をXに譲渡。XからYに対し、期間満了による明渡しと賃料損害金を請求した事件。原審は、Yが賃料をXに持参したことがあるのは、Xの承継を認めたことになるとの趣旨から、Xを勝たした。Y上告していわく、賃貸借関係は賃借物の所有権とは別箇の観念だから、土地を譲渡したからとて賃貸借関係が当然に移転するわけはなく、したがつて、Yが賃貸借関係を承認してもその承認は無効であり、XY間に賃貸借関係を成立させるには、正式に債権譲渡・債務引受を目的とする契約または両者間に新しい賃貸借契約を結ばなければならない、と。

「賃貸借ノ目的タル土地ノ所有権ヲ賃貸人タル所有者ヨリ取得シタル者ハ、当然賃貸人ノ地位ニ代ハルヲ得ザルハ論ヲ竢タザル所ナリト雖モ、賃貸人ト土地所得者トノ間ニ土地所得者ヲ以テ賃貸人ノ地位ニ代ラシムルノ合意アリテ賃借人ガ其更替ヲ承認シタルトキハ従来ノ賃貸借関係ハ土地所得者ト賃借人トノ間ノ賃貸借関係トナルベキハ当然ナリト謂ハザルベカラズ。……賃貸借契約ヨリ生ズベキ債権債務ニ付キ譲渡引受ノ契約成立スルカ又ハ新ナル賃貸借契約成立スルニ非ザレバXハ賃貸人ト為ルヲ得ズト前提シ以テ原判決ヲ非難スル本論旨ハ理由ナシ」（大判大六・一二・一九民録二三・二一五五）。

大正九年の大審院判決【63】は、引受人が賃貸借期間が満了しないのに明渡を請求して来たのに対して、賃借人が賃貸借関係の存在を主張した場合に関し、賃借人のこの主張をもつて賃貸借の承継に対する承認として、賃借人の引受人に対する対抗を認めた。また、昭和一二年の大審院判決【64】は、引受人が旧賃貸人から譲受けた延滞賃料債権に基いて解除した場合に関し、賃貸人の地位の包括的承継が意図せられたのならば、賃借人の承認も認めうることだから、賃貸借の承継は有効であり、このような解除による明渡請求も認められる、とした。いずれも、賃貸借の承継に賃借人の承認を必要とするものであるが、前の【62】と同じように、賃借人が賃貸人の地位の承継を承認したと認められる場合であつて、賃借人が賃貸人の地位の承継を否認する場合にその承認のないことを理由として承継の効力を否定するものではないから、やはり決定的なものということはできない。

【63】 AはYに一二年の期間の定めで家屋を賃貸し、後Xにその家屋を売却するとともに賃貸借関係をXに承継させる契約をした。Xは期間が満了しないのに明渡を要求し、Yは賃貸借関係の存在を主張してこれを拒んだ。原審は、YはXに賃貸借を主張しうるとの理由でXの請求をしりぞけた。X上告。

「賃貸借ノ目的タル不動産ノ所有権ヲ賃貸人タル所有者ヨリ取得シタル者ト賃貸人トノ間ニ於テ右取得者ガ

賃貸人ノ地位ヲ承継スベキ旨ノ特約アルトキハ、賃借人ハ該承継ヲ承認シ以テ賃借権ヲ右取得者ニ対シテ主張スルコトヲ得ルモノトス。蓋此場合ニ在リテハ従前ノ賃貸借ハ右取得者ト賃借人トノ間ニ於ケル賃貸借関係ト為ルノ筋合ナレバナリ。原裁判所ノ判示スル所ニ依レバ、本件ノ不動産ニ付キ其所有者タルAトYトノ間ニ大正六年十月一日ヨリ向フ十二年間ノ賃貸借契約成立シ、又該賃貸借ハ右AヨリX等ニ本件ノ不動産ヲ売却スルニ際シ、X等ニ之ヲ承継セシムベキ旨ノ契約成立シタルコト明白ニシテ、Yハ右賃貸借関係ノ存在ヲ主張シ因テ以テXノ請求ヲ拒ミタルコト、本件記録ニ依リ明白ナリ。果シテ然ラバYハ前顕賃貸人ノ更替ヲ承認シタルコト自明ナルヲ以テ、原裁判所ガ『右賃貸借ハX等ニ於テ承継シYハX等ニ対シ右十二个年ノ賃貸借ヲ主張シ得ルモノト解スベキモノトス』ト判示シX敗訴ノ判決ヲ言渡シタルハ結局正当」（大判大九・九・四民録二六・一二四〇）。

【64】　土地の賃借人Yに一年位賃料不払のあつた後、Xが賃貸人Aから土地を譲受け、AY間の賃貸借契約上の地位を承継するとともに延滞賃料債権も譲受けた。XはAに履行を催告した上解除し、明渡を請求。原審は、AY間の承継につきYの承認を得たことを認めるに足る確証がないこと、三者の合意による場合でも、旧賃貸人当時すでに発生した権利関係は新賃貸人に当然に移転させるものではなく、承継前に発生した賃料のごときは、新賃貸人との間における賃借物利用とは対価関係に立たないこと、を理由として、Xを敗訴させた。X上告し、（イ）Xの承継はYも自白するところである、（ロ）賃貸借契約の承継には、原審のいうような場合のほか、賃貸借契約が相続のように賃貸人の変更を除いてはなんらの変更なく存続する場合もあることを指摘する。これをそのまま容れて、破毀差戻（判文の（一）に当るか（二）に当るかを審理せよという）。次には（ロ）に対する部分のみ掲げる。

「賃貸借ノ目的タル土地ノ所有権ヲ賃貸人タル所有者ヨリ取得シタル者ガ、引続キ該土地ヲ賃借人ニ賃貸使用セシムル場合ニハ、（一）土地取得者ト賃借人トノ間ニ於テ新ナル賃貸借契約ヲ締結スルコトアルヘク、或ハ然ラズシテ、（二）賃貸人ト土地取得者トノ間ニ土地取得者ヲ以テ賃貸人ノ地位ニ代ラシムル合意アリテ、賃借人ガ其ノ更替ヲ承認シ、従来ノ賃貸借関係ガ土地取得者ト賃借人トノ間ノ賃貸借関係ト為ルコトモアルベキヲ以テ（大正六年（オ）第九五七号同年十二月十九日当院判決参照）、右賃貸借契約上ノ地位ノ承継ガ、前記（二）ニ説示スルガ如ク、従来ノ賃貸借関係ヲ承継シタリトノ趣旨ナリトセバ、賃貸借ハ承継ノ前後ニ於テ同一ナルガ故ニ、其ノ承継前ニ発生シタル賃料ト雖、承継後仍ホ之ヲ承継ニ係ル現存ノ賃貸借関係ヨリ発生シタル賃料ナリト謂フヲ妨ゲザルベク、従テ、苟モ新賃貸人ニ於テ該賃料債権ノ譲渡ヲ受ケタル以上、其ノ債務ノ不履行ヲ理由トシテ賃貸借契約ヲ解除シ得ベキモノト謂ハザルベカラズ」（大判昭一二・五・七民集一六・五四四（判民同年三八事件内田））。

次に掲げる昭和九年の大審院判決【65】のみは、一応、正面から賃借人の承認を要求する判例だということができよう。これは、賃借人（この事件では転借人）が賃貸人（この事件では賃借人）の地位の承継を認めない旨を積極的に主張したのかどうかは明らかではないが、ともかく、賃借人が承認を与えず、賃貸人承継者の賃料請求を争っている（争っている原因は賃貸人の地位の承継が無効だからというのではないが）事件において、賃借人の同意を欠くことを理由に賃貸人承継者の請求をしりぞけた判決だからである。ただ、残念ながら、本判決が賃借人の意思の参加をどの程度に要求しているかは、明らかでない。

【65】　事案を簡単にすれば、ＢはＡから建物を賃借し（登記あり）、Ｙに転貸した後、賃貸人たる地位をＸに譲渡（登記の移転あり）、Ｙに通知した。ＹはＡから競落によりその建物を取得。ＸからＹに賃料を請求したのに対し、Ｙは、自分が建物の所有権を取得した後は賃貸借契約は消滅し賃料は発生しないと額を争い、第一審はこれを認めたが、控訴審では、ＢＸ間の譲渡はＹの同意がないから無効であるとして、Ｘを全面的に敗訴させた。Ｘ上告し、Ｙの同意は不要、必要だとしてもＹは事実上承認している、と主張した。

「賃貸借以外転貸借ト云フ一種ノ貸借アルコト無シ。賃貸人ニ対スル関係ガ問題トナラザル限リ転貸人ト転借人トノ関係ハ之ヲ単ナル賃貸借トシテ論ズレバ可ナリ。否、論ゼザル可カラズ。夫レ賃貸人ハ債権ヲ有スルト共ニ債務ヲ負担ス。其ノ前者ハ債権ノ譲渡ニ因リ其ノ後者ハ則チ債務ノ引受ニ因リ他人ヲシテ之ヲ承継セシムルヲ得ベシ。唯債権ノ譲渡ハ債務者ノ意思如何ヲ問フコト無キニ反シ、債務ノ引受ハ債権者ノ意思ヲ度外視シテハ之ヲ行ナフニ由無キガ故ニ、賃貸人タル地位ガ法律上ノ原因ニ基キ当然他人ニ承継セラルル場合（少クトモ此クノ如ク観ラルル場合）ハ格別（相続ノミナラズ民法第六〇五条建物保護法借家法等）、賃貸人ト他人トノ合意ノミヲ以テ賃貸人ノ地位ヲ一括シテ此他人ナルモノニ譲渡スルコト、法律上不可能ノ事ニ属ス」（大判昭九・二・二七新聞三七一六・五）。

(3)　講契約の引受の場合　講加入口の譲受すなわち講契約の引受には、その合意に対する講の承認が必要である、とする判決【66】がある。ただ、本判決は、そもそも譲渡人と譲受人との合意自体が欠けている事案に関するものであるから、右の要旨は、いちじるしく傍論的な部分であるといわなければならない。

【66】　Y講に加入しているXがAに講の掛金を依頼していたところ、Aは勝手にXから講加入口を譲受けた旨の証書を偽造し、加入名義をAに書換えさせ、加入口を落札して落札金を受領した。XがYを相手として、Aに講金落札の無効であること、Xの未取口一口の残存することの確認を求める。原審がAの落札は無効だとしたので、X上告し、禁反言の原則を援用したのに対し、大審院は直接答えず、次のように判示。

「加入口ヲ有スル講員ハ落札ニ依リ落札金ヲ受取ル権利ヲ有スルト共ニ、講ニ対シ掛込掛戻ノ義務ヲ負担スルモノナルガ故ニ、加入口ノ譲渡トハ右ノ如キ権利義務ヲ包括スル地位ノ移転行為ニシテ、単ナル権利ノ譲渡ニ非ザルコト、猶賃借権ノ如シ。従テ之ガ譲渡ニ付テハ、譲渡人譲受人間ノ合意ノ外之ニ対スル講ノ承認アルヲ要スベク、名義書換手続ヲ為スコトハ右講ノ承認ヲ得テ前主ニ代リ講員トナルノ手続ナリト解スルヲ相当トス。故ニ譲渡人ト譲受人トノ合意アルモ講ノ承認ナキ場合、又ハ講ノ承認アルモ譲渡人ト譲受人ノ合意ニシテ虚無ナル場合ハ、共ニ完全ナル移転行為アリト謂フベカラズ」（大判昭一一・四・二八民集一五・六五七（判民同年四〇事件有泉））。

(4)　譲渡担保の担保権者がその地位を譲渡する場合　この場合に関しては、担保権の譲渡は当然に内部関係の負担を伴い、その負担に対応する権利者（すなわち譲渡担保設定者）の承認を要しない、とする注目すべき判決がある。

【67】　外部的移転の譲渡担保において、担保権者Aから目的物の名義移転を受けたXが、債務者Yに対し、賃貸借契約の終了を理由として目的物の引渡を請求した。原審は、本件の譲渡担保は外部的移転だからYA間の賃貸借は虚偽表示である（判例）とするとともに、他方、XはAから担保権を承継したものであると認定し、Xは賃貸借の終了を理由として目的物の引渡を請求しえないと判示。X上告し、Aの有する権利状態を第三者に移転するには、所有権とともにXに対する債務関係を移転せねばならず、後者のためにはその債権者にあたるXの協力が必要なのに、Xは譲渡行為に加わっていない、と主張した。

「本件ニ於テAノ有シ居タル売渡担保権ハ其外部関係ニ於テ得タル担保物ノ所有権ヲ内部関係ニ於テハ担保ノ目的以外ニ処分スベカラザル負担附権利ニ外ナラザルヲ以テ、斯ル場合ニ於ケル権利ノ移転ハ当然其負担ヲ伴フベク、敢テ其負担ニ対スル権利者ノ協力ヲ要スルモノニ非ズト謂ハザルベカラズ」（大判大八・六・二三民録二五・一〇七四）。

本判旨の判例価値については次のような問題が考えられる。本件の譲渡担保はいわゆる『外部的移転』に属し、したがつて、本判旨は、設定者に残された権利を物権的なものと見て、とくに債務引受の場合のような相手方の承認は必要ではない、とするものとも解され、その判例価値の射程距離はいわゆる『内外共移転』の場合には及ばないのではないか。そして、『内外共移転』を推定する判例（大連判大一三・一二・二四民集三・五五五）の立場からは、譲渡担保権者の地位の譲渡は通常設定者の承認を必要とすることになるのではないか。

かような疑問をひそめる本判旨に重要な役割を与えることは、さしひかえなければならないであろう。しかし、それにしても、『外部的移転』の場合でも担保権者が設定者に対して義務を負うことを否定しえない以上（外部的移転といってもひゆ的表現で、権利帰属が内外に分裂するわけではない）、右の判決は、傍論的ながら、譲渡担保（外部的移転）の担保権者の地位という契約上の地位の移転について、債務引受の一般法理を適用することを否定したものということができ、そのような例の一つとして注目に値するといわなければならない。

(5)　とくに営業譲渡の場合　次の大審院判決【68】は、運輸会社に金庫の保管を託した者が、その営業を譲受けた同業会社に対して金庫の引渡を請求した事件において、かように運送およびそれに付随する業務を営む会社が同業の営業を「承継した」「引継いだ」という以上は、一応従前の会社の営業上の取扱にかかる物品の運送・保管等の行為を継続引受けその義務を負担したものと解すべきである、としている。

【68】　Xは A運輸会社に金庫の保管を託した。Xは、A会社の営業用財産および営業権一切を譲受けたY会社に対して金庫の引渡を請求した。原審は、YはAから営業を譲受けて、新しくB通運会社を設立し、同会社をしてA会社の営業を承継させたところ、B会社は解散し、その営業はY会社で引継ぎ解散したB会社の残務整理をしただけで、右両会社の債権債務を承継したものではない、としてXの主張を排斥したので、X上告。

「然レドモ、運送並ニ之ニ附随ノ事業ヲ営ム会社ニ在リテハ、物品ノ運送並其ノ保管ハ主要ノ業務ナルベキガ故ニ、斯ル会社ノ営業ヲ同一事業ヲ営ム他ノ会社ガ『承継シタリ』『引継ギタリ』ト云フ以上ハ、一応従前ノ会社ノ営業上取扱ニ係ル物品ノ運送並其ノ保管等ノ行為ヲ継続引受ケ之ガ義務ヲ負担シタルモノト解スルヲ相当トスベク、従テ上記ノ如ク営業ノ承継又ハ引継ノ事実ヲ認定シタルニ拘ハラズ、本件金庫ノ保管並返還ノ義務ガ其ノ承継又ハ引継ノ範囲ニ包含セラレザリシモノト云ハムニハ、果シテ如何ナル事実ヲ営業ノ承継又ハ引継ト指称シタルカ、此ノ点ニ関シ詳細ナル説明ヲ要スルモノト云ハザルベカラズ」（大判昭一〇・一〇・二裁判例九民二三九、判決全集（二二）二六）。

学者によつては、本判決を営業譲渡当事者間で営業上の債務が移転することを認めたにすぎぬものと理解しようとするが（たとえば大隅・商法総則（法律学全集）三二七頁、三二八頁註（一））、この判決は、寄託者の営業譲受人に対する直接の権利が問題となつている場合に関するものであつて、単に営業譲渡当事者間の関係を述べたにすぎぬものではない。

本判決が、さらに、契約の引受を認めようとするものであるか、それとも、営業譲渡の場合には当事者間に併存的債務引受の意思あるものと推定する判例の（あまり明確ではないが）傾向に対応するものにすぎないかは、かならずしも明確でない。しかし、運送や寄託のように他人の物が託される契約関係は、営業譲渡とともに譲受人に一応包括的に引継がれるとするのが、当事者の意思に適合すると考えられるから、本判決をもつて契約の引受に関するものと解してよいであろう。

なお、本判決は寄託者（債権者）の承認（併存的債務引受と解するとすれば、受益の意思表示）を問題としていないが、それは、承認が問題となる以前の段階で議論が行われていることによるのであろう。それに、承認にふれていないことを問題とするにしても、本件では、承認は寄託者が譲受人に引渡を請求しうることで充足されていると考えられるから、承認にふれていないことから、本判決をもつて承認を不要とする趣旨のものと速断することは許されないわけである。しかし、それにしても、本件のような場合には、債権者の承認の有無にかかわらず寄託関係は一応営業譲受人に移転するものと解するべきであろう（債権者の意思は、信義則（事情変更の原則）

上営業譲受人に対して解約の権利を取得するという形で顧慮すればよい）。

(6)　以上によれば、判例の近時における傾向は、契約の引受にはかならずしも三面契約を必要とせず、地位の譲渡の契約に原契約の相手方の承認が加わることで足りる、というようにあるものといえよう。ただ、注目すべきことは、売買契約の引受にあつては、売買契約の相手方の承認を必要とする根拠は、契約の引受が債務の引受を含み、債務の引受には債権者（これが原契約の相手方に当る）の同意を要する、という理論にいつも求められているのに対し、賃貸人の地位の引受にあつては、賃借人の承認を必要とする場合でも、原則として（例外は【65】）、債務の引受のことにふれられていないばかりでなく、抽象論としてであるにせよ賃借人の承認不要とする判決【61】さえ現われていること、譲渡担保（外部的移転）の担保権者の地位の譲渡につき、やや傍論的ではあるとはいえ、設定者の承認は不要であるとする判決【67】のあること、そして、営業譲渡によつて契約上の地位の譲渡が行われた場合には、それ自体にふかい意味はないにせよ、とくに債権者の承諾が問題とされなかつたこと【68】、である。このような判例の態度（それはまだ充分に明確とはいえないが）は、契約の引受においては、一律に、そのなかからとくに債務の引受を抽出しそれについての債権者の承認の有無を問うことが、かならずしも適当ではないこと、債権者がわの意思を顧慮する程度は移転される法律関係の実体によつて区別すべきであることを、示すものといえよう。その間の事情は次のように考えられる。

第一に、売買契約の場合には、売主にせよ買主にせよ（とくに売主の場合）、自分に対して債務を負担する者の責任財産が重大な関心事であるのを常とするから、売買契約上の地位の譲渡においては、とくに債務の引受を抽出して相手方（債務者）の承認を問題にすることになる。

第二に、賃貸借契約の場合には、賃貸人が誰であるかは、賃貸人が賃貸借の目的物について所有権その他賃貸の権限を有する者であるかぎり、問題ではないであろう。したがつて、賃貸人の交替に際して賃貸人の使用収益させるべき義務だけを捉え、その義務の引受について賃借人の承諾があるか否かを問うことは、ほとんど無意味だと考えられる。これをもつと分析して説明すれば、次のようになるであろう。賃貸借関係を一応賃貸人の権利と義務とに分解するとして、まずその義務の側を考えよう。賃貸人の地位の承継に際して実際上その義務が問題となるのは、承継者が賃借人に明渡を請求し、賃借人がこれに対して承継者の使用収益させる義務を主張する場合であろう（たとえば【63】の場合）。ところで、かような場合には、賃借人がそのような主張をしたこと自体が賃貸人の地位の承継に対する承認としての意味をもつから【63】、つねに賃借人の承認があることになり、ことさらに賃貸人の債務の引受については賃借人の承認がなければならないなどという必要は、実際上存しないことになる。賃借人の承認が要件として現実の機能をもつのは、賃貸借関係の承継を認めることが賃借人にとつて不利な場合に、賃借人がその承継を否認し、その結果、賃借人の承認なきものとして承継の効力が否定されるような場合でなければならない。ところが、そのような場合とは、実際には、賃貸人がわの義務が問題となる場合ではなく（そのような場合であることが絶対にないというのではないが）、賃貸人がわの権利が——すなわち債務引受の部分ではなく債権譲渡に当る部分が——問題となる場合である。しかるに、債権譲渡は債務者（賃借人）の同意なくして行いうることである。かようにして、賃借人の承諾は必要でないという結論も出てくる可能性があるのである。要するに、判例が、賃貸人の地位の承継の場合に、原則として、とくに賃貸人がわの債務の引受をとり出してそれに対する賃借人の承諾の有無を問題にすることをせず、また、なかには賃借人の承諾不要とするものさえあるのは、上のような事情によるものと考えられる。したがつて、判例（全体）の理論を、債権者の承認を必要とする趣旨に理解するにしても、賃貸人の地位の承継に関するかぎり、その賃借人の承諾は、とくに賃貸人の地位の承継に含まれる「債務の引受」に対する債権者の承認というふうに理解するよりも、もつと弾力的に、「賃貸借の承継を賃借人に強いる理由はないから……賃借人は異議を述べて承継を阻止し得る」という程度の意味と解すべきことになるであろう（我妻・債権各論〔六四九〕はかような趣旨のものとおもわれる）。

第三に、譲渡担保（外部的移転）の担保権者の地位の譲渡に設定者の承認を要しないとされるのは、譲渡担保権が義務を包摂しつつ、統一的な財産的価値を形成しており、しかもその義務は付随的のものと考えられることによるといえよう（【67】の判決に関連して、担保権者の義務は付随的のものにすぎないから設定者の同意なくして移転しうる、と解された我妻教授（「判例売渡抵当法」松波還暦四五七頁註二）が、債権者側の地位にも債務を伴うから、地位の移転は債務引受の理によるべきである、とするのは（担保物権法〔一〇三〕(5)改説であろうか）。

第四に、営業譲渡によつて寄託や運送契約の承継とともにその目的物自体も譲受人に引継がれている場合に（【59】の場合）、債権者の承認の有無を問うことは nonsense であること、いうまでもない。債権者の意思の顧慮は、まずこの一角からもつとも容易にくずれていくのではないかとおもわれる。

(7)　契約の引受に関するわが国の学説も、相手方（債権者）の意思の重視から軽視への道を歩んでいるといえよう。もつとも、三面契約説（承継当事者と原契約の相手方との三面契約を要求するもの）もまだかなり有力である（末弘・二二二頁、柚木・〔六二〕三b）。その根拠は、契約の引受は債務の引受を包含し、したがつて原契約の相手方をも当事者とする必要がある、というのである。しかし、契約の引受に含まれる債務引受を問題にするとしても、処分説的立場からは、承継当事者間の契約に原契約の相手方の追認が加わりさえすればよいと解されるのだから、ことさら三面契約を要求するには当らないといわねばならない（三面契約説をとる学者が債務引受について原契約相手方の追認でよいとしているのは〔一三頁参照〕、奇異に感ぜられる。前出【58】の趣旨に対する誤解によるのであろうか）。学者によつては、むしろ反対に——債務の引受の部分について債権者（原契約の相手方）の承認に効力の発生をかからせつつ承継当事者間の契約で締結されうるものとするオーソドックスの立場を越えて——債務者の地位が所有権その他のものと結合しまたは企業に包含されるために、その移転が債権者になんら不利とならない事情のあるときは、承認を軽視すべきものとし（我妻・債権総論〔一〇二〕2ハ）、あるいはさらに進んで、そのような場合には、承認を不要とし、または、拒絶を権利濫用と解したり承認を容易に認定するなどすべきだと主張している（山中・債権法総則講義一五三—四頁）。これこそ、今後の判例をみちびくにふさわしい理論というべきである。

（二）　契約の引受は、契約上の地位を包括的に譲渡する一つの行為としてなされうるのか、それとも、契約上の地位を構成する債権・債務を各別に移転することによつて行われるのか。

(1)　売買契約（類似のものを含む）の引受に関する【58】【59】【60】、賃貸人の地位の引受に関する【61】【62】【63】【64】講契約の引受に関する【66】は、すべて、契約上の地位を包括的に承継する契約を認めている。それらは、かならずしもすべて契約上の地位を一体として観察するものではなく、その効力の判定に際して債権と債務とを分離するものも少なくないのであるが、そのことと、一箇の契約による契約上の地位の包括的譲渡を認めることとは、けっして矛盾するものではない。

(2)　契約上の地位を構成する債権と債務とは別々に移転されうるが【69】、かような債権と債務とが別々にしかし同一相手方に移転された場合には、契約の引受があったと認めるべきか（引受人は契約の解除権等をもつ）、それとも、その効果は、債権譲渡の効果と債務引受の効果との総和を出ないのであろうか（後の場合には、譲受人は契約の解除権をもたない）。この点に関する判例の態度はまだ明らかでない（解除権の有無が問題となった前出【2】では債務引受が無効であり、【69】は、債務については更改であるばかりか、解除権の有無が問題となった場合でもない）。学説としては、まず債権の譲渡があり次いでその譲受人が債務をも引受けたような場合、当事者の意思はこれによって契約上の地位自体をも移転させるにあるのを通常とするから、当事者としての地位までも移転するものと解すべきだ、とするものがある（柚木・〔六二三三d）。

【69】　AはXから土地を買い、登記と代金とを引換えにする約束だったが、代金支払の義務を履行しえないので、買主の権利をYに譲渡し、ついで、買主の義務については、AがYを代理してXとの間で更改契約した。XからYに対し代金の支払を訴求。X勝訴。Y上告して、双務契約たる売買契約の当事者における権利と義務とは各別に分離して成立しえない、と主張した。

「双務契約タル売買契約ト雖モ、一旦当事者間ニ成立シタル後ハ、其買主ニ属スル権利ト義務トヲ分離シテ各別ノ法律行為ノ目的ト為スコトヲ妨グルモノニ非ザレバ、原院ガ、本件売買ハXトA間ニ成立シタル後、Aハ買主ノ有スル権利ヲYニ譲渡シテ地所ノ所有権ヲ取得セシメ、又代金支払ノ債務ニ付テハYニ於テAニ交替シテ同一内容ヲ有スル新債務ヲ負担スルコトヲXト約シテAノ債務ヲ消滅セシメタルモノト為シタルハ相当」（大判大五・四・二六民録二二・八〇五）。

三　契約の引受の効果

（一）契約の引受があれば、「地位」の移転を生じ、地位の移転があれば、将来債権債務が成立した場合にその効果は直接引受人に帰属するのであつて、原契約者が「一旦債権者又ハ債務者ト為リ之レト同時ニ直ニ譲受人又ハ引受人ガ其ノ権利義務ヲ承継スベキモノト謂フヲ得」ない（前出【58】）。

（二）引受人の解除権　判例は、契約の解除権は契約当事者たる地位に固有の権利であるとする立場から、債務引受の場合には、傍論ながら、引受人に移転しないとしたが【11】、契約の引受の場合には、引受人に移転し、引受人のみが行使しうるものとしている。学説も同じ見解である（柚木・〔六二〕三c、内田・判民昭和一二年三八事件評釈）。

債権譲渡または債務引受の場合とも対比しつつ、この点に関する判例の態度を明らかにしよう。

前出【11】は、「解除権ハ契約ヲ解除スル権利ナルヲ以テ契約当事者タル地位ニ在ル者ニ非ザレバ之ヲ有スルコト能ハ」ず、としている。しかし、これは、売買契約に基く買主の権利を譲受け、さらに売主（債権者）の承認なくして代金債務を引受けた場合に関して、債務引受は債権者の関与を欠いて無効であるとしつつ、単なる債権の譲渡からは解除権移転の効果は発生しない、とするものであるから、契約引受人の解除権に関する部分は傍論にすぎない。また、大判昭三・二・二八（民集七・一〇七（判民同年一一事件宮崎））も、双務契約の解除権は当事者または「全法律関係ニ付其ノ地位ヲ承継シタル者ノミ」有するとするが、これも——本判決は、債権譲渡の場合に解除権はなお譲渡人に残存するとしつつ、原買主が解除するには譲受人の同意が必要だとするものであるから——やはり傍論である。

これに対し、前出【64】は、判旨自体としては、契約の引受人に解除権を認めたものといえる。けだし、本判決は、承継前に発生した賃料債権の不履行に基く解除を認めるのに、旧賃貸人の地位が包括的に新賃貸人に承継されることを要するとの前提をとつているからである（もつとも、契約の引受がなくても、承継前の延滞賃料と解除権とを譲受けることも可能であり、その点で、本判決はかならずしも論理的でない、勝本・民商六巻四号七二〇頁以下の批評参照）。そのほか、下級審判決のなかに、契約引受人が解除権を有する旨を一般的に説くものが、見られる【70】。

【70】「凡ソ第三者ガ同時ニ売買契約ニ依リテ買受人ガ有シタル権利ヲ譲受ケ義務ヲ引受ケタリト云フトキハ、債権譲渡債務引受ノ契約ヲ締結スルニ依リテ権利義務ヲ第三者ニ帰属セシムル結果ヲ生ズルモノニ外ナラズシテ、斯ル権利義務承継ノ契約ガ有効ニ成立シタルトキハ、第三者ハ債権ノ効力トシテ流出スル解除権ヲ有スルニ至ルコト明ナリ」（大阪地判大七・二・一三新聞一四〇三・二四、評論七民法四三二）。

なお、前出【64】は、契約引受人が旧賃貸人のもとで不履行となつた賃料債権をも譲受け、それに基いて解除した場合であるから、それは、単に契約引受人が解除権を有すること以上の内容を含むものといわなければならない。すなわち、承継前の延滞賃料と引受人の解除権との関係に関する問題をも含むわけである。承継前の延滞賃料はそれ自体独立の存在を有するものであるが、賃貸人の地位の承継者がそれを譲受けた場合には、あたかも賃貸人に変更のなかつたときと同一の法律関係を生ずるものと考えることが、事態にもつとも適切な解決法であり（ことに賃貸人に対し、不誠実な賃借人に対する救済を与えることにもなる、内田・判民昭和一二年三八事件評釈）、本判決も、そのような趣旨を説くものである。

保証債務の相続性

西村信雄

はしがき

保証債務の相続性に関する判例の態度の基礎は、継続的取引の保証についてその基本的保証債務の一身専属性を判示した大正十四年五月三十日の大審院判決と、その理論をそのまま身元保証に応用した昭和二年七月四日の大審院判決とによつて、ほぼ確立された。判例の大体の傾向としては、身元保証その他の継続的保証における基本的保証債務を以て一身専属義務であるとし、その相続性を否定している、と言える。しかし、判例の態度を詳しく検討してみると、判例は、その一身専属性の理論の適用に当つてかなり微妙なニュアンスを示しており、継続的保証における基本的保証債務は一身専属義務である、というふうに簡単明瞭には割り切つてはいない。本稿では、保証を継続的保証と一時的保証の二種に分ち、前者をさらに、身元保証、金融取引の保証、売掛取引その他の継続的取引の保証、賃貸借の保証等の諸類型に分類し、その各類型の保証についての判例の見解を分析・整理することによつて、保証債務の相続性に関する判例法をありのままの姿でとらえようと試みた。この問題に関する判例の理論には学者が指摘しているとおり論理的な弱点があり、また、その理論の適用に当つても論理的な矛盾が見られる。これらの点については今後における判例法の発展に期待したいと思う。

私は嘗つて「保証債務の相続性」と題する判例綜合研究を民商法雑誌（五巻六号・昭和一二年六月）に発表し、また、拙著「継続的保証の研究（昭和二七年・有斐閣）」においてもこの問題を取扱つた。本稿は、これらの旧稿に加筆したものである。加筆に当つては、各事案の具体的な差異をも明かにするように努めた。

一九六〇年五月

一　序説

保証債務は保証契約に因つて生ずる債務である。保証契約には広狭二義がある。広義における保証契約は、保証人が、債権者（保証契約の一方の当事者を指す。必ずしも主債務者に対する債権者という意味ではない）に対し、一定の被保証人に関して一定の不利益を被らせないことを担保する契約を総称する。この広義の保証は、独立的保証と附従的保証とに分たれる。前者は、被保証人自身が債務を負担すると否とを問わず、保証人が独立して債務を負担する場合である。身元保証に例をとつてみると、身元保証人が身元本人とは別個に独立して債務を負担する場合がそれであつて、その債務の内容は、或いは、使用者が身元本人に関して被つた損害を賠償することのみを内容とし（この場合は損害担保契約の範疇に属する）、或いは、更に身元本人をして忠実勤勉に勤務せしめるように監督し、病気に罹つた身元本人の身柄を引取る等、使用者をして損害を被らしめないように尽力する一種の行為義務をも含んでいる場合もある。附従的保証は、民法四四六条以下に規定されている保証であつて、被保証人（主債務者）が債権者に対して現に負担し又は将来負担することあるべき債務を履行すべきことを以てその内容とする（民四四六条）。狭義における保証はこの附従的保証のみを指す。本稿における論述も主として附従的保証の相続性を対象とする。

つぎに、保証契約は又別の観点からこれを継続的保証と一時的保証とに分けることができる。前者は、身元保証、継続的売掛取引の保証、金融取引の保証、代理店契約の保証、賃貸借の保証等の如く、継続的債権契約たる特質を備えている保証であり、後者は、普通の借金の保証の如く一時的債権契約たる性質を有する保証である。独立的保証・附従的保証の区別を縦の分類とすれば、継続的保証・一時的保証の区別は言わば横の分類であり、両者は互に交叉する分類である。独立的保証の中にも継続的保証と一時的保証の区別があると同時に、附従的保証も亦この二種に分つことができる。継続的保証は一時的保証に比して種々の点で著しい特異性をもつている。なかんずく、最も大なる特異性は、保証人の責任の永続性・広汎性である。継続的保証にあつては、保証人の責任がしばしば長期に亘つて存続し、又、その責任の内容が多岐にわたり、責任額が意想外の巨額に上ることもめずらしくない。保証というものが一般に親族・友人・知己等の情義的関係に基づいて引受けられることが多いことを考え合わせると、特に継続的保証については保証人の責任を適当な限度に規整することが要請される。保証債務の相続性の有無が主として継続的保証について問題となつているゆえんである（西村「継続的保証の研究」一一四頁以下参照）。本稿では、先ず、継続的保証の相続性に関する判例の態度を検討し、ついで、一時的保証に関するそれに及ぶこととする。

附従的保証債務は主債務を履行すべき債務である（民四四六条）。継続的保証の場合には、保証契約の成立と同時に、保証人は、主債務者が現に負担し、及び、将来負担すべき一定の債務につきこれを履行すべき債務を負担する。例えば、身元保証についていうと、身元保証人は、契約締結と同時に、身元本人が使用者に対して現に負担し及び将来負担すべき債務につき包括的な履行義務を負担する。この意味における保証債務は包括的抽象的基本的保証債務である。身元本人が横領費消等の不正行為をなし現実に損害賠償債務が発生したときは、身元保証人は、右の基本的保証債務に基づき、具体的な損害賠償債務を履行すべき具体的な債務を負う。この意味における保証債務は、個別的具体的支分的保証債務である。一時的保証にあつては、このような区別はなく、主債務は当初より具体的に存在し、保証人はその具体的な主債務を履行すべき債務を負担するのみである。即ち、一時的保証にあつては当初から保証人は具体的保証債務のみを負担するのであつて、この保証債務は継続的保証における支分的保証債務と性質を同じうするものである。保証債務の相続性の問題を考えるに当つては、保証債務にこのような二種の意義があることを注意しなければならぬ。基本的保証債務の相続ということは、別言すれば、保証人たる地位の相続であるともいえる。相続性の有無が問題となるのは主としてこの基本的保証債務についてである。判例の活躍も主としてこの基本的保証債務の相続性に関している。

二 継続的保証

一 身元保証

（一） 原則——身元保証債務は一身専属債務であつて相続性を有しない。

身元保証における基本的保証債務の相続性については、嘗つて、下級審の古い判例がこれを肯定し相続人において承継すべきものとした例がある。

【1】 被告Y^1の先代訴外Bは、訴外Aが原告X銀行に雇われるに当り、被告Y^2と連帯して身元保証人となつたが、Aは在職中犯罪行為によりXに損害を加えたので、XからY^2及びBの相続人たるY^1に対しその賠償を請求した。被告はその抗弁の一として「身元保証債務は所謂一身に専属す可き債務にして相続人に継承さるべき

ものにあらず」と主張する。

「此債務（身元保証債務）ハ保証契約ト同時ニ其効力ヲ生ズルモノニシテ決シテ現実ノ義務ノ発生ヲ俟テ始メテ成立スルモノニアラズ。且所謂財産権上ノ債務ニ属スルヲ以テ相続人ニ於テ承継サルベキモノナルコト勿論ナリトス」（福岡地判明四一(ワ)一六八〔年月日不詳〕新聞五七九・一五）。

しかし、その後の判例は、例外なく、身元保証債務は特別の事由がない限り一身専属の義務であるとし、その相続性を原則的に否定する。その先駆をなしたのは、大判昭二・七・四である。

【2】 訴外Aは明治四三年一月四日原告X銀行の行員として雇われ、その際、被告Yの亡父Bは訴外Cと連帯してAの身元保証人となったが、Bは大正元年九月六日死亡し、Yが相続した。Aは次第に銀行の信用を得て、大正三年には出納係に抜擢され、大正七年以後は支配人不在の場合金庫の開閉をなし、銀行印支配人印を使用する権限を与えられた。Aはこの地位を利用し大正九年四月頃から大正一二年三月までの間に一二万円余の行金を横領費消した。原審は本件の身元保証債務につき「其ノ性質上保証人ノ一身ニ専属スベキモノニ非ズシテ相続開始スルトキハ当然相続人ニ於テ之ヲ承継スベキモノナリ」と判示した。

「本件身元保証契約ニ在リテハ保証人ノ責任ノ範囲ハ特定ノ債務ニ付従タル義務者トシテ負担スル普通ノ保証債務ト異リ広汎ナル範囲ニ於テ責任ヲ負ハザルベカラザルニ至ルベキモノナレバ右契約ハ保証人タル上告人先代ト訴外林嘉蔵（身元本人）トノ相互ノ信用ヲ基礎トシテ成立シタルモノニシテ専属的性質ヲ有スト謂ハザルベカラズ。従テ特別ノ事由アラザル限リ右契約ハ当事者其ノ人ト終始シ保証人ノ死亡ニ依リ相続開始スルモ其ノ相続人ニ於テ契約上ノ義務ヲ承継シ保証人トシテ相続開始ノ後被上告銀行（使用者）ノ為ニ生ジタル損害ニ付テモ責任ヲ負フモノト解スベキニ非ズ」（大判昭二・七・四民集六・四三六。江川・判民六七、末川・破毀判例民法研究一・一二二、吉川・法曹会雑誌九・三・七一）。

要するに、この判決は、身元保証の特殊性として、先ず、保証人の責任の範囲が広汎に亘ることを挙げ、その故に、身元保証は保証人と被保証人との間の相互の信用を基礎として成立するものであるとし、又その故に、身元保証債務は一身専属的性質を有するものとするのである。この理論は、これよりさき既に大判大一四・五・三〇（後出【21】の判例）が継続的取引の保証に関して構成したところであつて、右の判決はこの既成理論をそのまま身元保証に応用したにすぎない。そして、この判例理論は、学者が指摘しているように（後述参照）、論理的な弱さをもつているのだが、それにも拘らず、この判例において示された基本的態度はくずされることなく今日まで維持されている。以下に掲げる大判昭二・一〇・四（【3】）、同昭四・四・一三（【6】）、同昭六・四・二二（【8】）、同昭一〇・一一・二九（【7】）、同昭一二・一二・二〇（【10】）、同昭一八・九・一〇（【9】）、朝鮮高等法院判昭四・六・四（【4】）、東京地判昭三四・六・九（【5】）などのとつている見解はいずれも基本的には右の大判昭二・七・四の見解を踏襲するものである。

【3】【2】の事案と同じく銀行の行員のための身元保証に関する事案であつて、その判旨も【2】の判決と同旨。

「原審ハ（中略）身元保証契約ヲ以テ専属的性質ヲ有セザルモノニシテ当事者間反対ノ意思表示ナキ限リ身元保証義務ハ保証人ノ相続人ニ移転スルモノト解シ、且本件ニ於テハ何等反対ノ意思ノ認ムベキモノナキガ故ニ上告人先代ノ為シタル嘉六ノ身元保証債務ハ右先代ノ死亡ニ因リ其ノ相続人タル上告人ニ移転シタルモノト判示（中略）シタルハ法則ヲ誤解シ」たものである（大判昭二・一〇・四評論一六民法一三三二）。

【4】「（上略）以上説示ノ如ク無限ニ賠償義務ヲ負担セシムル身元保証契約ハ無効ナリト雖身元保証ノ存続期間ヲ無制限ニ定メタル場合ハ未ダ公序良俗ニ反スルモノト為スコトヲ得ズ。何トナレバ此ノ場合ニハ期限ノ

定メナキ場合ト同ジク身元保証人ハ何時ニテモ解約ノ申入ヲ為スコトヲ得ベキヲ以テ（中略）、身元保証人自ラ損害負担ヲ免ルルコトヲ得ベク、加之身元保証契約ハ特別ノ事情ナキ限リ身元保証人ノ死亡ニ因リ消滅スベキモノニシテ、相続人ニ於テ承継スベキモノニ非ズ。従テ相続後ニ生ジタル損害ニ付相続人ニ賠償責任ヲ負ハシムベキモノニ非ザルヲ以テ相続人ニ不測ノ損害ヲ生ゼシムルコトナケレバナリ」（朝鮮高判昭四・六・四評論一九民法二〇六）。

【5】 訴外Aは昭和三〇年一月原告X会社に雇われ、その際、訴外B及び被告Y^1の両名が身元保証をしたが、Aは販売及び集金係として勤務中集金した販売代金を着服横領したので、XからY^1及びBの相続人たるY^2外四名に対し賠償を求めた。

「既に現実に損害が発生した後に相続があればその賠償義務は相続されるが、いまだ損害が現実に発生していない間に相続があつた場合には、その身元保証債務はいまだ現実化されていない、いわば身元保証人たる地位にすぎないところ、身元保証契約は保証人と被保証人間の相互の信用を基礎としているものであるから、右のごとき身元保証債務は被告等に承継されないと解すべきである」（東京地判昭三四・六・九判時一九三・二六）。

右の【5】の判決は、身元保証債務の相続性に関する最も新しい判決として注目されるが、その内容は昭和二年の大判以来の判例の見解をくりかえしたにとどまる。

（二） 具体的身元保証債務は相続性を有する。

判例が、身元保証債務を以て一身専属の債務とする根拠は、先ず第一に、身元保証人の責任の範囲が「特定ノ債務ニ付従タル義務者トシテ負担スル普通ノ保証債務ト異リ広汎ナル範囲ニ於テ責任ヲ負ハザルベカラザルニ至ルベキモノ」であるという点にある（前掲【2】の判例参照）。身元保証人の責任範囲が広汎であるということは、言うまでもなく、身元保証人が身元保証契約の存続中終始負担しているところの、包括的抽象的基本的保証債務について言われることである。身元本人たる被用者の横領費消等の事故が現実に発生し、具体的に損害賠償債務が発生した場合には、身元保証人は現実にその具体的債務に対する具体的保証債務を負うわけであるが、この具体的身元保証債務は「普通ノ保証債務」と何ら異なるところがなく、判例のとつている一身専属性理論の第一前提を欠くわけであり、従つて、それは一身専属債務ではなく、相続性は肯定されねばならないことになる。判例もこの理を明言する。

【6】 大正七年二月中、Xはその経営に係る運送業務のため事務員として訴外Aを雇入れその際Y^1及びB（Y^2の先代）の両名がAの身元保証人となつた。Aは当初貨物係であつたが後に集金係に転じ、その取立てた運送賃を横領費消した。身元保証人たるBが死亡しY^2がこれを相続したのは、Aが横領費消を為した以後である。

「原判決ニ拠レバ羽田陸三郎（A）ガ被上告人（X）ノ為ニ取立テタル運送賃其ノ他ヲ擅ニ費消シ被上告人ニ損害ヲ被ラシメタルハ大正九年八月頃ヨリ大正十年七月二十日頃ノ間ノコトニ属シ、而シテ、上告人正輔（Y^2）ガ其ノ先代幸治郎（B）ノ死亡ニ因リ家督相続シタルハ大正十二年九月一日ナルヲ以テ、約旨ニ依リ当時既ニ幸治郎ハ陸三郎ガ被上告人ニ蒙ラシメタル損害ヲ補償スベキ具体的義務ヲ負担シ居リタルコト明ナルト同時ニ被上告人ノ請求ニ依リ何時ニテモ其ノ義務ヲ履行スベキ地位ニ在リタルモノト云ハザルベカラズ。サルヲ以テ、本件身元保証契約其ノモノガ専属的性質ノモノナルニセヨ幸治郎ノ家督相続人タル上告人正輔ハ前記補償義務ヲ承継スベキコト当然ニシテ之ヲ免ガルベキ何等ノ理由ナシ」（大判昭四・四・一三評論一八民法九八五）。

【7】 A（被告Y^1の先代）及びY^2の両名は訴外Bが任期四年で原告X村の収入役に就任するに際し昭和四年七月二八日X村との間に身元保証契約を締結したが、Bは在職中昭和八年四月に公金を横領費消し、同年六月五日に任期満了に因り退職した。同年六月二二日A死亡し、Y^1がその家督相続をした。原審においてY^1は身元保証契約に基づく債務は保証人の一身に専属すると主張したが、原判決は、「身元保証契約ニ基ク債務ト雖保証人ノ相続開始前既ニ現実ニ発生シタル具体的債務ニ付テハ相続人ニ於テ当然承継スルモノト解」すべきであるとした。

「被用者ガ自己ノ行為ニ依リテ既ニ使用者ニ損害ヲ生ゼシメタルニ因リ身元保証人ガ使用者ニ対シ該損害ヲ賠償スベキ債務ヲ負担シタル場合ニ於テハ、該債務ノ内容範囲ハ特定シ、通常ノ損害賠償債務ト何等異ナルトコロナキヲ以テ、右債務ガ身元保証人ノ死亡ニ因リ相続人ニ承継セラルルコト多言ヲ要セズ」(大判昭一〇・一一・二九民集一四・一九三四、内田・判民一二七、西村・民商三・五・一〇八)。

㈢　特別の事由があるときは基本的身元保証債務も相続性を有する。判例は基本的身元保証債務を以て原則として一身専属であるとし、「特別の事由」がある場合には例外として相続性を有するものとする(前掲【2】の判例参照)。しかし、いわゆる「特別の事由」とはいかなる事由を指すのであるか必ずしも明瞭ではない。ここには、判例において「特別の事由」に該当しないとされた事例二件と、該当するものとされた事例一件とを左に掲げておく。

(1)　「特別の事由」に該当しないと認められた事例。

【8】　Bはその実子の婿たるAがX銀行に雇われるに際し身元保証人となつた。原判決は、従前の判例を踏襲して身元保証責任は専属的性質を有するものとし、本件身元保証契約もBの死亡により当然消滅に帰したものとしたが、Xはこれを不服として「訴外安田穣(A)ハ被上告人先々代ノ実子ノ婿ニシテ両人ハ親子ノ関係ヲ有スルコト本訴訟資料ノ上ニ於テ明白ナル事実ナリ。而シテ親ガ其ノ子ノ身元保証ヲナシタルガ如キ場合ハ其ノ保証ハ保証人ト本人トノ相互ノ信用ヲ基礎トシテ成立スルト観ルヨリモ寧ロ親ガ其ノ子ニ地位ヲ得セシムル目的ニ出ヅルモノト認ムルヲ実際ニ適切ナリトス。換言スレバ、本件ノ保証ハ保証人ト本人トノ間ノ相互ノ信用ヲ基礎トスルモノニ非ザルニ拘ラズ、原判決ガ叙上ノ判示ヲ為シタルハ如何ナル保証契約モ皆其ノ性質ヲ同ウスルモノト誤解シタル為ニシテ結局身元保証契約ノ性質ヲ誤解シ」たものであると主張した。

「然レドモ、被上告人先々代ト訴外人安田穣トノ間ニ於テ所論ノ如キ関係アリトスルモ、之ガ為メ必ズシモ被上告人先々代ガ株式会社玉島銀行（X）ニ対シテ負担シタル本件身元保証ノ義務ハ被上告人先々代ノ死亡ニ因リテ消滅セズ其ノ相続人ニ於テ之ヲ承継スベキ特別ノ事由アルモノト解セザルベカラザルモノニ非ズ」（大判昭六・四・二二評論二〇民法七九四）。

【9】　AはX無尽会社に雇われ、その際、B（被上告人Y^1の先代）とY^2とが身元保証人となつたが、AはBの娘Cの婿であり、又、Y^1はAの義弟（Aの妻Cの弟）である。Bが死亡してY^1が家督相続をした後に、Aが横領費消によつて会社に損害をこうむらせた。原判決は、本件の場合にも身元保証債務は相続人には移転しないと判示したので、Xは上告して、身元本人と身元保証人及びその家督相続人との間に右のごとき親族関係があることを主張し、「被上告人先代Bガ死亡スルトモ被上告人Y^1ハAノ妻Cノ弟ニシテCノ実家戸主ナレバ親族関係ニハ異動ナク被上告人Y^1トAトガ親族交際ヲ為シ居リ被上告人先代B死亡ノ為メAト不和ヲ醸シタル事跡ナク、且上告会社（X）ガ被上告人先代Bト身元保証契約ヲ為シタルハ当時上告会社ガBノ身元調査ヲ為シタルニ同人ハ小作農ニシテ不動産動産合シテ金千六百円ヲ有スルニ過ギズ、資力十分ナラザリシモ被上告人Y^1ハ約七年前ヨリ桜井町五味材木店ノ店員トシテ真面目ニ働クモノニシテ得タル収入ニヨリ一家ノ生計ヲ立テ同人ハ近ク独立材木商ヲ営ム計画ヲ立テ居ルモノナリトノコトニ付上告会社ハY^1ガBノ家督相続人タルコトニ嘱望シタルモノ」であつて、身元保証債務を相続すべき「特別の事情」があると主張した。

「所論ノ如キ事実関係トスルモ本件身元保証契約上ノ義務ガ相続ニ因リ承継セラルベキ特別ノ事情アルモノト認ムルヲ要セザルガ故ニ原審ガ判示認定事実ノ下ニ本件ニ付右ノ如キ事情ナキ旨判断シタルハ違法タラズ」（大判昭一八・九・一〇民集二二・九四八、後出【11】と同一判決）。

(2)　「特別の事由」に該当すると認められた事例

身元本人の実兄が使用者に対し雇入を懇請した関係上自ら身元保証人となろうとしたが、当時非戸主であつたのでこれを避け、戸主であつた父が身元保証をなした事実、及び、当時、使用者身元保証人共にこのことを領知しておつたという事情は「特別の事由」に該当する。

【10】　Y^1の実弟Y^2は大正一三年一月一一日X銀行に雇われ、その際、実父AとY^3の両名が身元保証をなしたが、この身元保証については次のような特殊の事情がある。Y^1はかねてから相識の間柄であるX銀行の支配人に対し実弟Y^2の採用を懇請し且自ら身元保証の責任を負担する旨申し出たが、当時Y^1は非戸主で無資産だつたから戸主たる実父Aと外一名の保証人を立てる旨申し出たので、その結果銀行はY^2を行員に採用したのである。その後昭和四年九月Aは死亡して、Y^1がその家督相続をしたが、この相続があつてから約六年を経た昭和一〇年五月以降においてY^2は行金の横領費消をした。原判決は右のような事情は身元保証債務の相続性を肯定すべき特別の事由に該当するものとしたが、上告審も亦これを支持した。

「凡ソ身元保証契約ニ因ル保証人ノ責任ガ特別ノ事情ナキ限リ保証人ノ死亡ニ因リ消滅シ其ノ相続人ニ移転セザル所以ノモノハ身元保証人ハ普通ノ特定債務ノ保証人ト異リ広汎ナル範囲ニ於テ責任ヲ負担スルコトアルベキモノナレバ身元保証契約ハ保証人ト被用者トノ相互ノ対人的信認関係ヲ基礎トシテ成立スルヲ常トシ従テ之ニ因ル保証人ノ責任ハ通例専属的性質ヲ有スルモノナルノ点ニ在リ。故ニ身元保証契約締結当時保証人ノ相続人ト被用者トノ間ニモ保証人ト被用者トノ間ニ於ケルト同様ノ信認関係存シ使用者及保証人共ニ此ノ事情ヲ領シテ契約ヲ為シタルガ如キ場合ニハ之即右ノ所謂特別ノ事情アルトキニ該当シ保証人ノ責任ハ其ノ死亡ニ因リ消滅セズ相続人ニ移転スルモノト謂ハザルベカラズ。原判決ハ措辞精確ヲ欠クノ嫌アルモ被上告銀行（X）ガ成瀬重次郎（Y^2）ヲ雇入ルルニ当リ実兄タル上告人（Y^1）ハ同人ノ手腕性格素行等ヲ推賞シテ雇入ヲ懇請シタル関係上自ラ身元保証人タラントシタルモ当時未ダ非戸主タリシ為之ヲ避ケ戸主タリシ上告人先代ナル父次平（A）ガ身元保証ヲ為シタル事実及当時上告銀行及次平ニ於テモ右事情ヲ領シ居リタル事実ヲ証拠ニ依リ認定シタルモノト解シ得ベク、判文中本件身元保証契約当時既ニ関係者一同ガ将来次平死亡セバ同人ノ身元保証契約ニ因ル責任ヲ上告人ニ於テ相続ニ因リ承継スベキコトヲ予期シ居リタル旨判示セルモ畢竟右ノ趣旨ヲ説明シタルモノニ外ナラズ」（大判昭一二・一二・二〇民集一六・二〇一九、東・判民一四〇、石田・法学論叢三八・六・一一八六、石本・法と経済九・五・七四五、中川（一郎）・商業経済論叢一六・一・一三七、西村・民商七・六・一〇九八）。

（四）　身元保証債務の非相続性は、身元保証法施行の前後によって差異を生じない。

前掲の判例（【2】）が判示しているように、身元保証における責任範囲の広汎性ということが身元保証債務の非相続性の第一の根拠である。身元保証法は、身元保証契約の存続期間を法定し、且つ、一定の事由の存する場合に身元保証人に解約権を付与することによつて、身元保証債務の永続性を妥当な限度に制限すると共に、身元保証人の負担すべき賠償責任及びその金額を定めるについては当該の場合の一切の事情を斟酌することとして、その責任ないし責任額の広汎性についても妥当な制限を加えることとしたのであるから、身元保証法の施行前に比べると、その責任範囲の広汎性は制限され、身元保証人の負担が軽減されているわけである。こういう点から考えると、身元保証法の施行の前後によつて、身元保証債務の相続性に関する法理にも変化があつてもよいのではないか、という疑問が生ずるが、判例は、これを否定している。

【11】　訴外Aは昭和一五年三月一八日上告人X無尽会社に雇われ、その際、B（被上告人Y^1の先代）と、Y^2とが期間を五年と定めて身元保証契約をなしたが、Bは昭和一五年五月二〇日死亡し、Y^1がその家督相続をした。Aは昭和一六年一月から同年一〇月三日までの間に集金した無尽掛金等を横領費消した。原審は、身元保証債務には相続性がないとし、そして、そのことは身元保証法には明文がないけれどもこの解釈を妨げるものではない、と判示した。

「身元保証契約ハ保証人ト身元本人トノ相互ノ信用ヲ基礎トシテ成立シ存続スベキモノナレバ特別ノ事情ナキ限リ該契約ハ当事者其人ト終始スベキ専属的性質ヲ有スルモノト云フベク従テ保証人ノ死亡ニ因リ相続開始

スルモソノ相続人ニ於テ契約上ノ義務ヲ承継シ相続開始後ニ生ジタル保証契約上ノ事故ニ付ソノ責ニ任ズルコトナキモノトス（当院昭和二年（オ）第三三号同年七月四日判決参照）。而シテ身元保証ニ関スル法律ニ於テハ右ニ反スル趣旨ノ特別ナル規定存セザルノミナラズ、如上ノ帰結ハ身元保証契約ノ性質上自ラ首肯セラルベク、コノ事ハ又既ニ判例ノ示ストコロナレバ敢テ明文ヲ要セズトナシタルノ法意ヲ推知スルニ足リ、従テ右法律施行ノ前後ニヨリ其ノ解釈ヲ異ニスベキモノニアラズ」（大判昭一八・九・一〇民集二二・九四八、前掲【9】と同一判決。来栖・判民五五、吉川・民商二〇・一・三二）。

二　当座貸越・手形割引等の金融取引の保証

（一）　この種の保証においても、貸付額（与信額）の限度及びその取引の存続期間につき何らの制限なく又保証責任自体の限度額並びにその存続期間に関し一定の定めがない場合には、保証人の負担すべき責任の範囲が――特に身元保証法施行以前の――身元保証におけると同じく非常に広汎に亘るおそれがある。なお又、たとえ貸付額の限度につき一定の制限がある場合においても若し保証人が極度額超過の貸付に対しても責任を負う旨特約した場合には、極度額につき何らの定めなき場合と同様の広汎な責任を負担せしめられる危険がある。「責任範囲の広汎性」ということが保証債務の一身専属性を理由づける重要な根拠であるとするならば、この種の保証についても、場合により、身元保証と同一の取扱を為さねばならぬ筈である。判例は果してどういう態度を示しているだろうか。

(1)　貸越限度及び取引期間の定めのない当座貸越取引につき保証人がその責任限度及び保証期間を限定しないで保証を約した事案に関して、判例は、「斯ノ如キ重大ナル保証責任ハ特別ノ定ナキ限リ保証人ノ一身ニ専属シ其死亡ト同時ニ終了ス」るものとする。すなわち、この種の無限保証については、前述の身元保証と同様に取扱われるべきものとするわけである。

【12】「原判文中稍々妥当ナラザル点ナキニ非ザルモ其趣旨トスルトコロハ要スルニ上告人先代麻藤直吉ハ被上告銀行ト訴外林喜之助ノ間ニ成立シタル貸越限度並期間ノ定ナキ当座貸越契約ニ付連帯保証人トナリタル事実ヲ認定シ斯ノ如キ重大ナル保証責任ハ特別ノ定ナキ限リ保証人ノ一身ニ専属シ其死亡ト同時ニ終了スベク其後ニ相続人ニ於テ爾後債権者ト主タル債務者間ニ継続スベキ当座貸越取引ニ関シ相続開始当時ニ於ケル貸越高ヲ限度トシテノミ保証ノ責ニ任ジ、ソレ以上ノ責ニハ任ゼザルノ意思ヲ以テ負担シタルモノト解スルヲ相当トスト云フニ帰スルコト原判文並其引用ニ係ル第一審判決ノ趣旨ニ徴シ疑ヲ容レザルトコロナリ」（大判昭一一・九・一七大審院判決全集三・一〇・一一、法学六・一・八六）。

当座貸越取引の保証契約は一定の時期における決算によって確定すべき主債務（即ち貸越残額）を保証するものであって、主債務の額が決算によって確定するまでは保証債務は単に抽象的基本的債務たるに止まり主債務額の確定によって始めて具体的債務に転化するのである。右の確定を見るまでは貸越残額は日々の貸付及び預金により不断に増減するのであるが具体的保証債務がこれと相伴うて消長するのではない。しからば、当座貸越取引がなお継続して貸越残額が未だ確定しない間に保証契約が（期間の満了・相続の開始等に因り）終了する場合には、その保証人は後日貸越残額が確定するに至つた場合にいかなる限度において具体的債務を負うべきであるか。右の場合該保証人が結局において何らの具体的保証債務も負わないと解することは勿論不当であるが、保証契約終了当時における貸越残額について具体的保証債務が固定的に発生するものとみることも亦、明かに不当であろう。私見は、この場合における保証契約の終了なるものは、他の場合とは異なり、単に抽象的基本的保証債務の最高限をその終了当時における貸越残額に限定するだけの意味しかないと考える。即ち、保証人は依然として後日確定すべき主債務についての抽象的基本的保証債務を負担するも、その責任は保証契約終了当時の貸越残額を限度とするものと解するのである。判例には、直接この点に関する見解を示したものは見当らぬようであるが、次の判例の見解を類推すると、右の問題についても同様の見解をとるものと推考される。

【13】「一定ノ期間存続スベキ当座預金貸越契約ニ基キテ生ズル債務ニ付対人担保アル場合ニ於テ該契約ノ存続中当事者ガ期間ヲ伸張シ因テ以テ爾後取引ヲ継続シタルトキハ別段ノ定ナキ限リハ当初ノ期間満了ノ当時ニ於ケル貸越残額ハ対人担保存在ノ儘ニテ右期間満了後ノ取引上ノ計算ニ組入レラルルノ筋合ナルヲ以テ右期間満了後ノ取引上ノ計算ニ於テ貸越残額ヲ生ズル以上ハ債権者ハ右期間満了ノ当時ニ於ケル貸越残額ヲ超過セザル限度ニ於テ対人担保ノ責ニ任ズル者ニ対シ其権利ヲ行フコトヲ得ルモノナルコト言ヲ俟タズ」（大判大九・一一・二八評論九民法一〇一八）。

かく解するときは、保証人の死亡その他の事由によつて相続が開始した場合には当初の無限保証がここに有限保証に変ずることとなり、しかも有限保証については判例は次段に見る如く相続性を認めるのであるから、結局、無限保証においても相続開始当時における貸越高を限度とする有限保証責任が相続人に承継せられることとなる。それ故、前掲の大判（【12】）も、「其後（相続開始後）ニ相続人ニ於テ爾後債権者ト主タル債務者間ニ継続スベキ当座貸越取引ニ関シ相続開始当時ニ於ケル貸越高ヲ限度トシテノミ保証ノ責ニ任ジ、ソレ以上ノ責ニハ任ゼザル」ものと解しているのである。

当座貸越以外の金融取引の保証契約についても、判例は同様の見解を示している。例えば、大判昭一二・九・一八が、いわゆる親質屋・子質屋間の転質取引の保証について、原判決がその一身専属性を否定し相続性を認めたのを破毀して、「斯ル保証責任ハ其ノ重大性ニ鑑ミ別段ノ定ナキ限リ保証人ノ死亡ト同時ニ終了スベシ」と判示したのはその例証である。

【14】　本件の原判決は、「本件連帯保証ノ如ク子質屋タル主債務者ガ親質屋タル債権者ニ対シ将来負担スルコトアルベキ貸金債務ニ付為ス保証ハ、其ノ債務ノ額コソ定マラザレ、彼ノ身元保証ノ場合ノ如キ極メテ広範囲ノ責任ヲ負担スル保証債務ト異リ、其ノ責任ノ範囲モ右転質取引ヨリ生ズル貸金債務ノ範囲ニ局限セラルベク、従テ之ガ保証契約ノ成立ハ唯単ニ主債務者ト保証人トノ相互ノ信用ノミヲ基礎トシテ成立スルモノニ非ザレバ、保証人ノ一身ニ専属スル性質ヲ有スルモノト謂フヲ得ズ」（東京控判昭一一・九・二六新報四五三・一一）と判示したが、大審院は次のように判示してこれを破毀した。

「原審ガ本件ニ付確定セル所ハ大正六年二月二十七日訴外石島徳三郎及被上告人（被控訴人）間ニ於テ商慣習上親質子質ノ名称ヲ以テスル転質取引契約ヲ締結シ、即チ石島ハ一般質置主ヨリ受取リタル質物ヲ更ニ転質物トシテ被上告人ニ交付シ相当金円ヲ借入ルルコト、債務者ハ借入金ノ弁済ヲ為サズシテ随時転質物ヲ受戻シ得但毎月五日及二十日ノ二回ニ精算ヲ遂ゲ若シ現在転質物ノ価格ガ借入金ノ担保額ニ不足ナルトキハ相当ノ質物又ハ現金ヲ授受シテ其ノ不足ヲ補充スルコト、及借入金ノ利息ノ割合ハ年一割八分トシ毎月末日元利金ノ決算ヲナスコトノ諸点ヲ約シ、而シテ、上告人（扣訴人）先々代平山蔵次郎ニ於テ右取引ニ因リ石島ノ負担スベキ債務ニ付連帯保証ヲ約シタルモノニシテ、尚右取引ノ存続期間借入金額若クハ保証責任額ニ付テハ何等之ヲ限定セズト云フニ在ルコト判文上明ナリ。然ラバ本件取引ニ於テハ保証人ノ現実ニ負担スルコトアルベキ責任額ノ限度ヲ予測シ難キノミナラズ、其ノ額巨大トナルノ虞ナシトセズ。殊ニ転質物受戻ノ都度借入金ノ弁済ヲ要セズト云フニアル以上、後ニ精算ヲ遂グベキ約定アリトモ、実際上弁済ノ確実ヲ期シ難キガ故ニ、斯ル保証責任ハ其ノ重大性ニ鑑ミ別段ノ定ナキ限リ保証人ノ死亡ト同時ニ終了スベシ。其相続人ハ単ニ相続開始当時ニ於ケル貸借金ノ限度ニ於テノミ保証ノ責ニ任ジ、ソレ以上ノ責ニハ任ゼザルモノト解スルヲ相当トス。然ルニ原判決ハ、本件転質取引ノ中途即チ大正九年十一月二十五日保証人タル上告人先々代死亡シ上告人先代平山八十八其ノ家督相続ヲ為シタル事実ヲ当事者間ニ争ナキ所トシテ認メタルニ拘ラズ、本件保証ノ責任ニ付論旨摘録ノ判示理由ノ下ニ該責任ハ保証人ノ一身ニ専属スル性質ヲ有セズ、只ダ保証契約締結後相当期間ヲ経過シタルトキハ債権者ニ対シ解約ノ意思通知ヲ為シ得ルニ過ギザルモノト断ジ、別段ノ事情ノ有無ヲ審究セズシテ此ノ点ニ関スル上告人先代ノ抗弁ヲ排斥シタルハ審理不尽ノ違法アリ」（大判昭一二・九・一八 法学六・一二・八六）。

大判昭六・一〇・二一（法学一・三・一二七）の事案も、銀行との間の継続的金融取引の保証に関する。その保証債務を以て特別の事情なき限り保証人の一身とともに終始するものとしている点は前掲諸判例と同様であるが、はつきりと意思解釈を根拠としている点は注目に値いする。

【15】「原判決ノ確定シタル所ニ依レバ、被上告人ニ於テ其ノ遺産ヲ相続シタル亡尾崎鹿之進ハ、訴外森高多平ガ愛媛銀行ト取引ヲ開始スルニ当リ、将来該取引ニ因リテ生ズベキ多平ノ債務ニ付、其ノ債務発生ノ期間ヲ限定セズ、又其債務金額ヲ限定スルコトナク、連帯保証債務ヲ負担スベキ旨、右銀行ニ対シテ契約シタリト云フニ在リ。而シテ、斯クノ如キ契約ニ因リ、保証人ノ負責スベキ主債務金額ハ、遽ニ之ヲ逆睹シ得ベカラザルモノアリ。其ノ責任ノ広汎ナルコト、夫ノ特定債務ニ従トシテ締結セラルル保証契約ノ比ニ非ザルコト明白ニシテ、斯ル契約ハ、専ラ保証人其ノ人ニ於テ主債務者タルベキ者ニ与フル信用ニ其ノ基礎ヲ置クモノト謂フ可ク、従テ之ヲ締結スル当事者ノ意思ハ特別事情ノ存スルモノナキ限リ、保証人存命ノ間ニ生ジタル主債務ニ付テノミ、保証債務ヲ負担スルニアルモノト解スルヲ至当トス。従テ如上保証契約ヲ為シタルモノノ死亡ニ因リ、其ノ遺産ヲ相続シタル者ハ、被相続人死亡前既ニ発生シタル主債務ニ付テノ具体的保証債務アラバ、之ヲ承継スルニ止マリ、如上契約上ノ義務其ノモノヲ承継スベキモノニ非ズ」（大判昭六・一〇・二一 法学一・三・一二七）。

(2)　以上に反して保証人の負担すべき責任の範囲につき何らかの制限がある場合——即ち、(イ)　当座貸越その他の与信契約において、貸付額の限度を定め、又は、(ロ)取引の存続期間を定めた場合、及び、(ハ)保証契約において、保証責任の限度額を定め、又は、(ニ)保証期間を定めた場合——は如何。右のうち、貸付額若しくは保証責任額につき一定の限度が定められている場合に関し判例が保証債務の相続性を認めることは、次の判示に徴しても明かであろう。

【16】　訴外A会社が原告X銀行に対し負担する手形取引上の債務につき被告Y^1Y^2外四名が金三万円を限度として連帯保証をした。被告(上告人)は抗弁の一として、本件「保証契約ハ期限ヲ定メズ永久ニ其ノ義務ヲ負担スベキ約旨ノ契約ナレバ公序良俗ニ反シ無効ノモノナリ」と主張した。
「身元保証ノ如ク其責任ノ範囲如何ニ拡大スルヤ始メヨリ不明ナルモノニアリテハ責任ヲ負フ可キ期間ヲ限ルコト或ハ必要ナルベキモ一定ノ金額ヲ定メ此範囲内ニテ保証責任ヲ負担スル場合ニ於テハ法律上若クハ合意上特ニ期間ノ定メナキ以上主タル債務ノ存在スル限リ保証責任モ亦継続ス可キハ保証ノ性質上殆ンド当然自明ノ事ニ属ス」(大判昭七・六・一一新聞三四四七・八)。

なお、前に引用した大判大九・一・二八(【13】)は、貸越限度及び期間につき一定の定めがある金融取引の保証に関する事案であつて、当初定められた取引期間中に保証人が死亡し家督相続が開始したのであるが、かかる有限保証の場合には相続人が保証債務を承継するのは当然のことと考えたものか、相続性の有無については全然問題とされていない。

右に見たように、金融取引の保証についてもいわゆる無限保証については、身元保証と同じく、相続性を否認しようとするのが判例の態度であるが、この際、さらに注意すべきは、判例が、限度超過の貸付金に付ても保証の責に任ずる旨の特約ある場合についても、右限度外の貸付が「妥当ナル制限ノ下ニ行ハルベキ場合ニ於テハ」、その保証債務の相続性を認めていることである。大判昭一一・四・二一がその例である。限度外の貸付が「妥当ナル制限ノ下ニ行ハルベキ場合」であるかどうかは、一々の場合の具体的諸事情に即して判断するほかはないが、本件では、これに該当するものと認められた。

【17】「本件貸越契約ニ於テ定メタル限度ハ金額二千円ニシテ他面ニ又上告人ハ銀行ナラザル産業組合法ニ依リ設立セラレタル信用組合トシテ組合員ニ金銭ノ貸付ヲ為ス者ナルヲ以テ其ノ貸付額ニハ自ラ制限アル関係上（産業組合施行規則第十二条参照）上告人ガ貸越契約ニ定メタル限度外ノ貸出ヲ為スニ当リテモ原審ノ説示スル如キ予測ヲ許サザル危険ノ伴フベキモノト推知スルヲ得ズ。却ツテ妥当ノ制限ノ下ニ貸付ノ行ハルベキモノト視ルコトガ取引ノ通念ニ合致スルモノト做サザルベカラズ。而シテ、斯ル妥当ナル制限ノ下ニ貸付ノ行ハルベキ場合ニ於テハ其ノ貸越契約上協定シタル限度外ノ貸付金ニ付テモ保証人ガ責任ヲ負フベキコトヲ約シタリトスルモ之ヲ其ノ保証人ノ一身ニ専属シ相続人ハ之ヲ承継スルコトナキ与信行為ニ属スルモノト做スベキニ非ザルニ因リ、本件被上告人先代ノ為シタル保証契約ヲ以テ同人ノ一身ニ専属スルモノト為スニハ其ノ然ル所以ヲ肯定スルニ足ルベキ具体的ナル特別事情ノ存在ヲ明ニスルコトヲ要ス」（大判昭一一・四・二一法学五・九・一〇五）。

なお、例えば、甲会社と乙銀行間の手形割引取引につき甲会社の取締役が保証人となつた場合の如きは、甲会社の負担する主債務が保証人にとつて意想外の巨額に上るようなことは通常あり得ないのだから、かかる場合も、貸付が「妥当ナル制限ノ下ニ行ハルベキ場合」と認められ、従つて、有限保証に準じた取扱を受けるべきであろう。

【18】X銀行と訴外A会社との間の手形割引取引につき、A会社の取締役たるY外四名が保証人となる。Yは本件の「保証契約締結ノ事実ハ之ヲ認ムルモ、主債務ノ成立スベキ時期及額ニ付何等ノ限度ヲ定メアラザル

ガ故ニ、斯ノ如キ保証契約ハ法律上無効ナリ」と主張する。

「抑会社ノ経営者ニ於テ、故無ク手形ヲ濫発スルガ如キハ、通常有リ得ベカラザル事ニ属スルノミナラズ凡ソ将来成立スベキ主債務ニ付、其ノ時期ヲ制限シアラザル場合ハ、反対ノ事情ノ認ムベキモノ無キ限リ、保証人ハ相当ノ日時経過後ハ解約権ヲ行使スルヲ得ベク（此ノ解約権ハ相当ノ予告期間ヲ存スベキカ否カハ各場合ノ事情ニ依ル）、若又主債務ノ成立ニ先チ主債務者ノ財産状態ニ著シキ欠陥ヲ生ジタルトキハ、保証人ハ直ニ解約権ヲ行使スルヲ得ト解スベキハ、此ノ種ノ取引ニ於ケル当事者ノ意思解釈ヨリスルモ又信義ノ観念ニ訴フルモ、殊ニ此ノ後ノ点ハ民法第五百八十九条ノ法意ヲ類推スルモ、当然ノ事ニ属スルガ故ニ、本件ノ如キ保証ニ在リテハ、保証人ハ過大ナル負担ノ下ニ苦マザルヲ得ザル虞アリト云フガ如キハ、寧ロ一片ノ杞憂ニ過ギズト云フベキナリ」（大判大一四・一〇・二八民集四・六五六、平井三次・判民一〇七）。

【19】「原判決ハ日東油脂株式会社ノ債務ニ付被上告人等ノ為シタル保証ノ範囲ヲ認定スルニ当リ甲第十四号証ノ保証契約書其ノ他証人ノ供述ヲ綜合考覈シテ該保証ノ範囲ハ保証契約成立ノ日タル大正八年一月十四日迄ニ於ケル既存ノ手形債務ニ限ラレ同日以後発生スベキ将来ノ債務ニ及バザルモノト認定シタレドモ、之ガ認定ヲ為スニ当リテ若将来ノ債務ニ迄及ブモノトセンカ、被上告人等ハ日東油脂株式会社ガ上告人銀行ト為ス手形取引上ノ債務ニ付無制限ニ保証スルノ結果ヲ来タス。斯ノ如キコトハ世上稀有ノ事例ニ属スルコト（中略）、ヲ以テ被上告人等ハ日東油脂株式会社ノ既存債務ニ付テノミ保証スル意思ヲ以テ本件保証ヲ為シタルモノトノ認定支持ノ根拠トシタルコト判文上明瞭ナリト云ハザルベカラズ。然レドモ被上告人等ガ本件保証契約締結ノ当時日東油脂株式会社ノ取締役或ハ監査役若ハ相談役タル地位ニ在リシコトハ当事者間争ナカリシ所ナレバ、日東油脂株式会社ガ其ノ取引銀行タル上告人トノ間ニ為ス手形取引ニ付テハ事実上是等保証人タル被上告人等ガ之ヲ行フカ若ハ之ヲ指揮監督シ得ベキコト容易ニ看取シ得ベキガ故ニ、全然何等保証人ニ於テ左右シ得ベカラザル債務者ガ無制限ニ債務ヲ負担スル場合ト同一視スルハ当ラズ」（大判大一五・四・一四裁判例一・五七）。

以上をもう一度要約すると、金融取引の保証のうちで有限保証の場合、即ち、(イ) 貸付額に一定の限度の定めがある場合、(ロ) 限度額以上の貸付に対しても保証の責に任ずる旨の特約があつても、その超過貸付が妥当な制限の下に行わるべき場合、(ハ) 保証責任の限度額を定めた場合については、判例は、保証債務の相続性を肯定するのである。

以上に反して、貸付額及び保証責任額を制限せず単に与信取引又は保証契約の存続期間のみを定めた事案は判例に未だ現われないようであるから、この種の場合の保証につき判例がいかなる見解をとるのか明確には知り難い。しかし右の存続期間につき適当な制限が存する以上は保証責任の相続性を認めようとするのではないかと推測される。

(二) 主債務者たる会社が銀行との金融取引によつて負担すべき債務につき会社の取締役等が保証をなす場合には、その取締役等の地位に在ることが保証人たることの前提となつていることが少なくない。取締役等の地位に在つたことが単に保証契約締結の動機となつているだけでなく、当該保証契約の内容として、保証人は取締役等の地位に在る間に限り保証の責に任ずべきことが明示的若しくは黙示的に約定されている場合も決して稀ではないと思われる。この種の保証契約は、保証契約そのものに予め不確定の終期が約定されているわけであり、保証人が取締役等の地位を去つたときは基本的保証債務は当然消滅する。保証人が取締役在職のままで死亡した場合も、死亡によつて取締役たる地位がなくなるのだから退職の場合と同様に解すべきであつて、相続の問題は起らない。旧法時代の隠居についても、若し隠居によつて取締役等の地位を退く場合には、同様のことがあてはまる。問題は、当該の保証契約が、果して、保証人が取締役等の地位に在ることを前提とし、その地位にある間に限り保証の責に任ずるという約旨において締結されたかどうかという意思解釈にかかることになる。かかる約旨であることが意思解釈上認められるときは、保証債務の相続性の有無という理論的問題を素通りして判決することができる。次の判決はそうした意味で注目に値いする。

【20】 被上告人Yの先代Bは訴外A会社の取締役であつたが、他の七名の取締役と共に、上告人X銀行に対し、A会社とX銀行との間の取引によつて生ずるA会社のX銀行に対する過去現在将来の債務につき主債務者と連帯してその責に任ずる旨の保証契約を締結した。その後Bは隠居しYが家督相続をしたが、その隠居後に生じた債務につきXからYに対し履行を求めた。原審は「本件保証契約ヲ為シタル各債務者ハ何レモ小津武林起業株式会社（A）ノ取締役ニシテ会社ノ消長ニ特別ノ利害干係ヲ有シ密接ノ関係ニ在リタルヲ以テ会社ノ為メ各個人トシテ連帯保証ヲ為スニ至リタルコトヲ認メ得ベキヲ以テ本件保証契約ハ会社ト被控訴人先代藤作（B）トノ間ノ信認関係ニ基キ為サレタルモノト謂フベク従テ一身専属的ノ性質ヲ有シ右債務ハ承継ニ因リ相続人ニ移転セザルモノトス」と判示して、Xの請求を斥けたので、Xから上告した。その上告理由の要点は次のとおりである。

「或債務ガ債務者ノ一身ニ専属スルヤ否ハ債務自体ノ性質乃至内容ガ債務者其人ト分離スベカラザル関係ニ在ルヤ否換言スレバ債務者ノ人格若ハ親族法上ノ身分ト切放シテハ存在シ得ザル債務又ハ債務者其人ニ非ザレバ実現スルコトヲ得ザルガ如キ給付ヲ目的物体トスル債務ナルヤ否ニ依テ決スベキモノニシテ保証契約成立ノ原因ニ依テ決スベキモノニ非ズ。従テ其保証ヲ為スニ至リタル理由ガ信用ニ基クトカ或ハ対価ヲ得テ其保証ヲ為シタルトカ云フ如キ事情ハ全然度外視セラルベキモノナリ。若シ相互ノ信用ヲ基礎トスル契約ニ基ク債務ハ債務者ノ一身ニ専属スルモノナリトセンカ、普通ノ保証債務モ亦主債務者保証人相互ノ信用ヲ基礎トスルモノニ外ナラザルヲ以テ同様ニ断ゼザルヲ得ザルニ至ルベシ。或ハ本件ノ保証契約ハ責任ノ及ブ範囲広汎ナルガ故ニ特ニ信用ヲ基礎トスルモノナリト論ズルモノアルベシト雖モ御院ノ屢々判例トセラルル如ク（大正三年(オ)第八〇七号大正四年四月二十四日言渡判決等）苟モ契約ノ効力ヲ是認シ債務ノ成立ヲ認ムル以上ハ責任ノ及ブ範囲広汎ナラバ相互ノ信用ニ基キ其範囲狭小ナラバ相互ノ信用ニ基カズト云フ理由ハ何処ニモ見出サルベキニ非ズ。要スルニ本件ノ保証契約ハ純然タル財産上ノ意義ヲ有スルニ止マリ債務者ノ人格若ハ身分ト不可分離ノ給付ヲ内容トスルモノニ非ザルヲ以テ保証人ガ隠居ヲ為シ相続開始シタルトキハ当然其家督相続人ニヨリテ承継サルルモノト謂ハザルベカラズ。」この上告理由は、判例の説いている一身専属性理論の弱点を衝いているのであるが、大審院は、たくみに論点を外して、原判決は、本件保証契約は会社の取締役等が其地位と不可分的なる責任として其地位に在る間に生じた債務についてのみ保証の責に任ずるという趣旨で締結されたものと認定したのだと判示し、本件契約の解釈上、取締役たるBが隠居した後に生じた債務については相続人において承継すべき理由がない、とした。

「原院ハ其挙示ノ証拠ニ依リ被上告人先代栗山藤作（B）外七名の訴外会社取締役等ガ上告銀行ト為シタル保証契約ハ右取締役等ガ其地位ト不可分的ナル責任トシテ其地位ニ在ル間ニ訴外会社ガ上告銀行ニ負担スル債務ニ付テノミ連帯保証ノ責ニ任ズベキ趣旨ヲ以テ締結セラレタルモノト認定シ随テ栗山藤作ノ隠居後訴外会社ノ負担シタル債務（本件債務ガ右隠居後ニ生ジタルコトハ上告銀行ノ認ムル所ナリ）ニ付其家督相続人タル被上告人ニ於テ之ガ承継ヲ為スベキ理由ナキコトヲ判示シタルモノニシテ、原判決ニ『藤作ノ保証債務ハ一身専属的ノ性質ヲ有シ承継ニ因リ相続人ニ移転セズ』トアルハ措辞稍々妥当ヲ欠ク嫌ナキニ非ザルモ其意ハ蓋右説示スル外ニ出デザルコト其判文ノ全旨ニ徴シ之ヲ看取スルニ難カラズ」（大判昭六・一一・二四新聞三三七六・一二、評論二一民法一二九）。

三　売掛取引又はその他の継続的取引の保証

この種の保証についても前述した金融取引の保証と同一の取扱が為されねばならぬ。然るに判例の態度はこの種の保証に関してはやや統一を欠いているように見える。

(1)　保証責任の限度額及び保証期間につき何ら定めもない場合

大判大一四・五・三〇は、夙に、かかる保証債務につき、「特別ノ事由ナキ限リ当事者其ノ人ト終始スルモノ」と判示して、継続的保証の相続性に関する基本判例たる地位を占めた。

【21】　原判決に依ると、上告人Xの先代Aは「飯塚運送店」なる商号によって運送取扱営業を営んでいたが、その営業を訴外Bに譲渡した。BはAの許諾を得て右の商号を以て営業を為し、AはBのC運送会社（被上告人Y運送会社の前主）に対する取引を円滑ならしめるためにBC間に行われる取引より生ずる一切の債務につき支払の責に任ずる旨契約した（この事実の認定についても大審院は審理不尽理由不備の違法あるを免がれないとしている）。

「又原判決ハ上告人環（X）先代利吉（A）ノ為シタル契約ニ基キ同人死亡後ノ取引ニ付テモ環ニ支払ノ責アルモノノ如ク判示スレドモ、原判示ノ如キ契約ハ特定ノ債務ニ付負担スル普通ノ保証債務ト異リ其ノ責任ノ及ブ範囲極メテ広汎ニシテ一ニ相互ノ信用ヲ基礎ト為スモノナレバ斯ル契約ハ特別ノ事由ナキ限リ当事者其ノ人ト終始スルモノニシテ相続ノ開始アレバトテ当然ニ其ノ相続人ニ於テ同契約上ノ義務ヲ承継スベキモノト解スベキニ非ズ」（大判大一四・五・三〇評論一五民法八一）。

その後も判例も概ね右の判決の見解を踏襲している。次の諸判決がそれである。

【22】　事案は、魚類売掛取引の保証に関する。前掲大判（【21】）と同旨であるが、保証人が自己の相続人をして保証債務を負わしめる旨の特約を為し得ない旨判示しているのは――当然のことながら――注目される。

「尤原審ハ保証人及相続人ガ被上告会社ニ対シ魚代金債務ニ付各自主債務者及其ノ相続人ト連帯シテ責ニ任ズベキ旨ノ裕先代豊一ト被上告会社トノ間ノ契約アリタル事実ヲ確定スルモ右豊一ガ第三者タル将来ノ相続人ニ対シ直接ニ義務ヲ負担セシムベク他人ト契約ヲ為シ得ザルベキハ当然ノコトナルガ故ニ此ノ契約ニ因リ豊一

ノ相続人タル上告人裕ガ本件連帯保証債務ヲ負担スルモノト為スヲ得ザルヤ是亦論ナシ」（大判昭一〇・一〇・二三裁判例九・二五七、法学五・三・一一八）。

【23】　保険代理店契約の保証に関する事案。前掲大判（【21】）と同旨（札幌控判昭六・八・一七新聞三三一七・七）。

【24】　石油委託販売取引の保証に関する事案。前掲大判（【21】）と同旨（朝鮮高判昭六・一二・二二評論二一民法六八三）。

しかし、判例の中には前掲大判（【21】）の見解と全く反対の見解をとり、この種の無限保証についても原則的に相続性を肯定するものもある。

【25】　被告Yの先代Bは大正六年四月原告X会社に対し、将来訴外AとX会社との間にキリンビールの取引によって生ずる手形及びこれに附随する立替金の債務につきAと連帯して責任を負うべき旨の保証契約を締結したが、Bは大正八年九月五日死亡し、Yがその家督相続をした。本件の手形は、右の家督相続開始後に行われた取引による売掛金債権に対しAが振出した手形を数回切替えたものである。なお、右の保証契約には保証人の負担すべき責任額についても、保証の期間についても何らの定めがなかった。

「家督相続人ハ無限ニ被相続人ノ権利義務ヲ承継スベキモノナルコトハ民法第千二十三条ニ規定スルトコロナルヲ以テ被相続人タル保証人ノ死亡ニ因ル相続人ハ其ノ相続人ノ限定承認ヲ為サザル限リ当該保証債務ヲ承継スルコトハ当然ナリト謂ハザルベカラズ」（朝鮮高判昭四・七・九評論一八民法一一二八）。

(2)　保証債務の限度額を定めた場合

大判昭一〇・三・二二（【26】）は、一定の金額を限度とする売掛取引の保証につき、たとえ取引の期間を限定しなかったとしても、相続性を肯定すべきものとする。これが、判例の正統的見解を代表するものと思われるが、ここでも亦、反対の見解を示す判例がある（【27】）。

【26】　「他人間ニ継続スル取引ニ因リテ将来生ズベキ債務ニ付或金額ヲ限度トシテ保証ヲ約シタルモノハ将

来個々ノ取引ニ因ル債務ノ発生ト同時ニ約定ノ金額ヲ限度トシテ保証債務ヲ負担スベキコト勿論ニシテ、此ノ保証人ヲ相続シテ其地位ヲ承継シタル者ハ相続後ノ取引ニ因ル債務ニ付テモ約定金額ノ限度ニ於テ保証債務ヲ負担スベキハ当然ナリ。右保証契約ニ於テ取引ノ期間ヲ限定セザリシトスルモ之ガ為該契約ニ因ル債務ヲ以テ保証人ノ一身ニ専属スルモノトシ其死亡後ノ取引ニ付テハ勿論死亡前ノ取引ニ付テモ保証人ノ相続人ハ保証債務ヲ負担セザルモノト為スベカラズ」（大判昭一〇・三・二二法学四・一一・一〇一）。

【27】（塩魚売掛取引につき三五一〇円を限度として連帯保証を約した事案に関する。）「継続的取引ニ於ケル将来発生スルコトアルベキ債務ノ保証契約ハ一ニ保証人ト被保証人トノ相互信用ヲ基礎トスルモノナレバ特別ノ事情ノ存セザル限リ保証期間又ハ保証額ノ定アルト否トヲ問ハズ保証契約上ノ義務ハ当然保証人ノ一身ニ専属シテ其人ト終始シ、保証人ノ死亡ト共ニ保証契約ハ当然消滅スベキモノト解スルヲ相当トス」（台湾高判昭六・一〇・三一評論二二民法四一七）。

なお、保証債務の限度額を定めないで、保証期間（又は保証の対象たる取引関係の存続期間）のみを定めた場合に関する判例は、この種の保証についても見当らない。

四　賃貸借の保証

賃借人の保証人の負担する保証債務については判例は殆んど例外なくその一身専属性を否定し、相続人において承継すべきものとする。

【28】原告Xは大正一四年五月二三日Aに対し住宅一戸を賃貸し、被告Yの先代BはAのため連帯保証をしたところ、昭和三年三月二六日Aの死亡に因りYが家督相続をした。Aはその後昭和六年七月末迄の間に賃料三百余円を延滞した。

上告理由はこう主張する。「賃貸借契約ニ対スル保証債務ハ契約当時賠償額確定セズ、延滞賃料支払義務家屋明渡義務或ハ過失ニ依ル賃借家屋滅失ニ対スル損害賠償義務等其ノ債務額ハ全ク予測スルヲ得ザル広汎ナル範囲ニ属シ、主債務者保証人相互ノ信用ヲ基礎トシテ成立スルモノナルコト彼ノ身元保証ト何等選ブ所ナシ。従テ此種ノ保証債務ハ保証人タル上告人先代ノ一身ニ専属シ相続人タル上告人ノ相続スベキニアラズ。」と。

しかし、大審院はこれを排斥して次のように判示した。

「賃借人ノ為メ其ノ賃貸借ニ因ル債務ヲ保証シタル者ハ通常身元保証人ノ如ク信用関係ヲ基礎トシ広汎ナル範囲ニ於テ責任ヲ負ハザルベカラザルモノニ非ザルガ故ニ賃借人ノ義務ヲ以テ身元保証人ノ義務ト同視シ特別ノ事由ナキ限リ保証人ノ死亡ニ因リテ消滅シ相続人之ヲ承継セザルモノト為スベキ何等ノ理由ナシ」（大判昭九・一・三〇民集一三・一〇三、有泉・判民一〇、石田・法学論叢三〇・六、後藤・内外研究七・四、石本・法と経済一・六）。

この判示はその説く所簡にすぎて、身元保証人の義務と同視すべきに非ずとする根拠が頗る不明瞭である。左に掲げる下級審の諸判例を綜合するとその理由がやや判然とするように思われる。

【29】（家屋賃貸借の保証）「夫ノ身元保証契約ニ於ケルカ如ク保証人ノ負担スヘキ責任ノ範囲広汎ニシテ保証人ト主タル債務者トノ相互ノ信用ヲ基礎トシテ成立スルモノハ格別本件保証契約ノ如ク主タル債務者（従テ保証人）ノ負担スヘキ責任ノ範囲ヲ予メ確定シ得ヘキ場合ニ在リテハ該契約上ノ債務カ相続ニ因リ承継セラルルモノトスルモ不当ニ相続人ノ利益ヲ害スルコトナキカ故ニ」云々（東京地判昭五・九・二九新聞三一八七・七）。

【30】（土地賃貸借の保証）「賃借人ノ為メ保証ヲ為シタル者ハ其賃借人ノ支払ヲ怠リタル賃料ヲ支払フベキ責アルコト論ヲ俟タザルトコロニシテ、只土地賃貸借ニ於テハ保証ハ継続的ニ長期間将来生ズベキ賃料ノ支払ニ付キ責ヲ負フモノナルヲ以テ責任ノ範囲広汎ニ亘ルコトアリ保証人ノ当初ノ予期スルトコロニ反スルニ至ルコトアルハ免レザルトコロトス。故ニ主債務者タル賃借人ガ右賃料ノ支払ヲ為サズ将来ニ於テモ誠実ニ其債務ヲ履行スベキ見込ナキトキニハ保証人ニ於テ保証責任ノ存続ヲ欲セザルコトアルヲ以テ斯ル場合ニ於ケル保証人ノ救済ニ付テハ別ニ其途ナキニ非ラズト雖モ這ハ固ヨリ保証債務ノ移転性ヲ排除スベキモノニ非ザルヲ以テ保

証人鶴造ガ控訴人久吉ノ家督相続ニ因リ同人ノ前示保証債務ヲ承継スルヲ妨グルモノニアラズ」（東京控判昭一〇・七・二二新聞三八九八・一一）。

【31】（土地賃貸借の保証）「賃借人ノ為メノ連帯保証人ハ賃借人ノ死亡後ハ其ノ家督相続人ノ為メニ連帯保証債務ヲ負担シ又連帯保証人ガ死亡スルトキハ其ノ家督相続人ニ於テカカル連帯保証債務ヲ承継スベキモノト解スルヲ相当トス（中略）、蓋シ右ノ如キ賃貸借ノ連帯保証ハ例ヘバ身元保証ニ於ケルガ如ク相互ノ信用関係ヲ基礎トシ広汎ナル範囲ノ責任ヲ生ズルモノニアラズシテ主タル債務ノ額モ賃料額等ヨリ推シテ略々予測シ得ベク且ツ賃借人ノ為メ家督相続開始スルモ其ノ資力状態又ハ主タル債務ノ範囲ニ付キ特ニ著シキ変更ヲ生ズルコトナキヲ通常トスルニヨリ特別ノ事情ナキ限リ賃借人連帯保証人ノ各家督相続人ハ前主ト同一ノ法律上ノ地位ヲ取得スルモノト解スベク」云々（東京控判昭一〇・一一・一九新聞三九四三・一三）。

【32】（家屋賃貸借の保証）「賃貸借契約上ノ債務ニ対スル保証債務ニ於テハ契約当時ニ具体的債務確定シ居ラザルコト論ヲ俟タザルモ将来発生スルコトアルベキ保証債務ノ範囲ハ延滞賃料支払義務賃貸借終了ノ場合ニ於ケル家屋明渡義務及之ニ関聯スル債務若クハ重過失ニ因ル賃借家屋ノ滅失ニ対スル損害賠償義務等法律ノ規定ニヨリ予メ之ヲ予測シ得ベク且其ノ具体的債務額ニ付テモ其ノ賃料又ハ賃借家屋ノ価格等ヨリシテ或程度迄ハ之ヲ予測シ得ベク全然之ガ予断ヲ許サザル性質ノモノト謂フコトヲ得ザルニヨリ之ヲ彼ノ身元保証ノ如ク其ノ責任ノ及ブ範囲極メテ広汎ニシテ一ニ相互ノ信用ヲ基礎トシテ成立スルモノト同一視シテ専属的性質ヲ有スルモノト断ズルコトヲ得ザルヲ以テ」云々（大阪地判年月日不詳〔前掲大判昭九・一・三〇【28】の第二審〕民集一三・一二三）。

賃貸借の保証について今一つ注目すべきことは、判例が、賃借人自身につき相続が開始した後においても保証人は引き続き賃借人の相続人のために保証責任を負うべきものとしている点である。かくの如く解するときは、苟も賃貸借契約又は保証契約が何らかの原因によつて終了しない限り、保証人の相続人は賃借人の相続人のために（極端にいえば保証人の子々孫々は賃借人の子々孫々のために）永年間保証責任を負わねばならぬこととなる。

【33】「賃借人ノ為メ保証ヲ為シタル者ハ特別ノ約定ナキ限リ全賃借期間ノ賃料及賃借人ノ義務不履行ニ因ル損害等ニ付履行ノ責ニ任ズベキハ当然ニシテ該期間中賃借人死亡シ相続人ガ賃貸借ヲ承継シタル場合ニ於テハ該承継後ニ生ジタル債務ニ付テモ相続人ノ為メニ保証人タル責任ヲ免レザルモノトス。本件ノ如キ借地法施行地域内ニ於ケル建物ノ所有ヲ目的トスル土地ノ賃貸借ニ在リテハ其ノ存続期間ハ長期ニ亘リ従テ其ノ保証人ノ責任モ亦長ク存続スルハ免レザル所ナリト雖モ、斯ル理由ヲ以テ賃借人ノ相続人自身ノ債務ニ付テハ保証人ニ責任ナシト為スコトヲ得ズ。蓋シ保証人ガ長期ニ亘リ其責ニ任ゼザルベカラザルハ斯ル保証ヲ為スニ際シ当然予期スベキ所ニシテ、其ノ間相続人ガ賃貸借契約ヲ承継シタレバトテ、之ニ因リテ特ニ保証人ノ責任ガ加重セラルルモノト断ジ難シ。然ルニ保証人ガ免責ヲ得ベキモノトセン乎、其ノ反面ニ於テ賃貸人ハ賃借人ニ付相続開始シタルノ一事ノミニ因リ担保ヲ失フコトトナリ彼此権衡ヲ得ザレバナリ」（大判昭一二・六・一五新聞四二〇六・七）。

【34】「土地ノ賃貸借ノ如キ永キニ亘リテ継続スル法律関係ニ基ク債務ヲ保証スルモノハ其ノ法律関係ノ継続中主債務者ノ相続ニヨル変更ヲ生スベキコトアルハ契約当時予想シ得ルトコロナレバ主債務者ガ相続ニヨリ変更シタルトキハ保証ノ責ヲ負ハザル旨ノ特段ナル合意ナキ限リ保証人ハ相続人ノ債務ニ付テモ保証債務負担ノ意思アルモノト認ムルヲ相当トス」（東京控判昭一一・九・二九法律新報四六一・一三）（なお、前掲判例【31】参照）。

右の点に関し下級審の一判決が独り次の如き異見を示しているのは注目に値する。

【35】「一般ニ保証人ハ賃借人ノ能力資産信用等ヲ考慮シテ保証ヲ為シ賃借人ノ子々孫々ノ債務ニ付テ迄無限ニ保証ヲ為スノ意思ナキヲ常トスルガ故ニ他ニ特別ノ事情存セザル限リ賃借人ノ相続人自身ニ付生ジタル債務ニ付賃借人ノ保証人ハ保証ノ責ニ任ゼザルモノト解スルヲ相当トス（中略）。保証ヲナスモノハ多ク旧来ノ慣習情誼ニ拘ハレ主債務者ノ一身上ノ信用ニ着眼スル外概ネ無関心ニ保証ヲ為スノ余儀ナキニ至リシモノ多ク而モ一度保証々書ニ捺印センカ責ヲ免ルルニ由ナク主債務者ノ無資力ト為ルト同時ニ牽イテ過重ナル請求、執行

ヲ受ケ共ニ没落スルモノ少カラズ。保証ハ実ニ都会農村ヲ通ジ徳義情義ヲ重ンズル比較的健全ナル社会層ノ漸次縮小スルニ至ル一ノ原因ヲ為ス実情ニ想到スレバ其範囲モ相当ニ制限シテ解釈スルノ必要アリト謂ハザルベカラズ」（東京区判昭五・一一・一三 評論一九民法九八二）。

三　一時的保証

上述において見たように判例は「将来債務の保証」についてさえ保証責任の範囲に関し何らかの制限が付せられてある場合にはその相続性を認めるのであるから、当初より保証人の負担すべき具体的債務が確定しているところの一時的保証についてその責任の一身専属性を否定し相続性を肯認する見解をとることは当然の論理的帰結であらねばならぬ。そしてこのことは今日における法律的常識となつているためか直接に一時的保証につき相続性の有無を論議している判例は極めて稀である。わずかに次の諸例が判例の見解の何たるかを暗示するに止まる。

（一）　身元保証人につき相続が開始した当時既に具体的保証債務を負担していた場合には、その具体的保証債務は相続人によつて承継される。この点は既に述べた（二の一（二）及び、同所引用判例【6】【7】参照）。

（二）　一時的保証なる以上、たとえその主債務につき百ヵ年賦償還の特約があり従つて永年間主債務が存続する場合においてもその保証債務は相続の目的たり得る。

【36】「控訴代理人ハ百ケ年々賦償還ト云フガ如キ債務ハ債務者一代ニテハ到底弁済スル能ハザルコト実験則上著明ナル事柄ナルヲ以テ、斯ル債務ノ保証ヲ為シタル者ハ其者ノミ責任ヲ負フニ止マルベキ旨ノ意思表示ヲ為シタルモノト認ムルヲ相当トスト主張スレドモ、年賦償還期間ノ長キ債務ノ保証ヲ為シタル効果ニ付其者

ノミ保証責任ヲ負ヒ其相続人ニ及バズトノ実験則存スルコトナキノミナラズ、訴外目谷甚作ガ其保証ヲ為スニ当リ右ノ如キ特段ナル意思表示ヲ為シタリトノ事実ニ付テハ之ヲ認ムベキ立証ナキガ故ニ右主張ハ理由ナシ」（函館地判昭四（レ）一一〇（年月日不詳）評論二〇民法一七三）。

四　判例理論の批判

以上において、保証債務の相続性に関する判例の態度を整理してみた。この問題に対する判例の態度はかなり微妙なニュアンスを示している。が、大体の傾向としては、身元保証における基本的保証債務を以て相続性のない保証債務の典型とし、一時的保証債務並びに継続的保証における具体的保証債務を以てその反対の典型とし、その中間に位するものについては、両者のいずれにより多く類似するかによつて相続性の有無を区別しようとしている、と言える。判例は、身元保証及びこれに類似する保証債務を以て相続法にいわゆる一身専属義務となすのであるが、その理由とするところは、畢竟、かかる保証にあつては保証人の負担すべき責任の範囲極めて広汎に亘るおそれがあり、従つて、保証人と被保証人との相互の信用を基礎として成立するのだから、というに在る。この理論及びその具体的適用については論議すべき余地が少なくない。

（一）　先ず第一に「責任範囲の広汎性」といわゆる「相互的信用関係」との間にどういう必然的関係が存するのであるか。成程、身元保証人（特に身元保証法施行以前）及びこれに類似する保証人の責任が場合により極めて広汎な範囲に亘ることは争えない。しかし、さればといつて保証人と被保証人との相互的信用関係がこの場合においてのみ特に深厚であるとはいえない。この信用関係の深浅は保証の各類型によつて異なるのではなくて、個々の具体的な事情によつて一々異なるのである。殊に判例がこの点につき身元保証と賃貸借の保証とを截然区別し前者は専らいわゆる「相互的信用関係」を基礎とするに反し、後者は然らずと為すことは実状を無視するものと言わざるを得ない。賃貸借の中特に借地の如き長期に亘る契約の保証にあつてはその「責任ノ範囲広汎ニ亘ルコトアリ保証人ノ当初ノ予期ニ反スルコトアルハ」判例自ら承認する所であつて（前掲【30】）、かかる保証が身元保証と同様に保証人と被保証人との「相互的信用関係」に基礎をおくものであることは、多く論ずるまでもないことである。

（二）　判例は「責任範囲の広汎性」と前述の「相互的信用関係」とによつて保証責任の一身専属性を理由づけるのであるが、この論理には明かに飛躍がある。元来、一身専属の義務とは、特定の義務者その人でなければ履行し得ない義務、又は、義務者その人の人格・身分・資格等と不可離的に結合している義務を指すのである。故に例えば会社の取締役がその地位と不可分的なる責任として負担した保証債務の如きは素より相続の目的たり得ない（前掲【20】）。又、例えば、或る種の身元保証において、身元保証人が負担するところの身元本人を監護すべき義務・身元本人の身柄を引取るべき義務の如きは不代替的な義務とみるべきであるから、これ又相続性を欠くものといい得る。然るに保証人と被保証人との相互的信用関係というような事情は単に保証契約の動機を成すにすぎないのであるから、――この動機に基づき保証人が自己の終身間を以て保証期間とする旨特約したものと認められる場合は格別――これを以て直ちに当該保証責任の一身専属性を理由づけることは論理的に無理であると言わねばならぬ(末川・破毀判例民法研究一・一三九参照)。

(二)　判例の中には、責任範囲の広汎性と保証人被保証人間の相互的信用関係から一足飛びに一身専属債務という結論に飛躍せず、相互の「信用ニ其ノ基礎ヲ置クモノト謂フ可ク、従テ之ヲ締結スル当事者ノ意思ハ特別事情ノ存スルモノナキ限リ、保証人存命ノ間ニ生ジタル主債務ニ付テノミ、保証債務ヲ負担スルニアルモノト解スルヲ至当トス」と論じ、意思解釈によつて一身専属性を理由づけようとするものがある(【15】)。学者の中にも意思解釈によつて身元保証債務の非相続性を説明しようとする見解がある(吉川・身元保証法釈義八〇頁)。この理由づけの方がたしかにより多く論理的である。しかし、これにも亦、論議の余地がないわけではない。とくに、反対の特約があつたときはこれをいかに取扱うべきか疑問である。保証契約が保証人の死亡によつて終了しないとする特約は、換言すれば、相続人をして保証債務を負担せしめる旨の合意にほかならない。かかる特約は第三者に債務を負担せしめることを内容とするものであるから、果して有効であるかどうか疑問である。また、仮にかかる特約が有効であるとすれば、実際上、大多数の保証契約において、この種の特約が付せられるような事態を生ずるであろう。

以上を要するに、保証債務の相続性に関する判例の集積は、いわゆる判例法としてほぼ凝固した形をとるに至つているということは事実であるが、その説いている一身専属性の理論は現在なお十分に説得的ではなく、論理的な弱さを包蔵していると言わざるを得ない。

控訴院判例

高等裁判所判例

地方裁判所判例

区裁判所判例

判 例 索 引

大審院判例

最高裁判所判例

著 者 紹 介

四《しの》 宮《みや》 和《かず》 夫《お》　立教大学教授

西《にし》 村《むら》 信《のぶ》 雄《お》　立命館大学教授

総合判例研究叢書　　民　法（14）

昭和 35 年 6 月 5 日　初版第 1 刷印刷
昭和 35 年 6 月 10 日　初版第 1 刷発行

著作者　四 宮 和 夫
　　　　西 村 信 雄

発行者　江 草 四 郎

印刷者　高 橋 慶 蔵

東京都千代田区神田神保町 2 ノ 17
発行所　株式会社　有 斐 閣
電話九段 (331) 0323・0344
振替口座東京 3 7 0 番

印刷・図書印刷株式会社　製本・稲村製本所

総合判例研究叢書 民法(14)
(オンデマンド版)

2013年1月15日　発行

著　者　　四宮　和夫・西村　信雄
発行者　　江草　貞治
発行所　　株式会社 有斐閣
〒101-0051　東京都千代田区神田神保町2-17
TEL　03(3264)1314(編集)　03(3265)6811(営業)
URL　http://www.yuhikaku.co.jp/

印刷・製本　　株式会社 デジタルパブリッシングサービス
URL　http://www.d-pub.co.jp/

AG467

ISBN4-641-90993-8　Printed in Japan